QUE SAIS-JE ?

Montaigne : « Essais »

ROBERT AULOTTE

Professeur émérite à la Sorbonne
Président de la Société des Amis de Montaigne

Pour Marie-Aude et Astrid

ISBN 2 13 041988 7

Dépôt légal — 1re édition : 1988, septembre
© Presses Universitaires de France, 1988
108, boulevard Saint-Germain, 75006 Paris

AVANT-PROPOS

« On a tout dit sur Montaigne depuis plus de deux siècles qu'on en parle », remarquait déjà Sainte-Beuve, avant d'aborder lui-même la digression de son *Port-Royal* qui fait retour sur l'auteur des *Essais*. Près d'un siècle et demi a passé. Les études sur Montaigne ont continué de se multiplier. L'inventaire, jusqu'en 1975, vient d'en être établi dans la précieuse *Bibliographie* (1983) du regretté Pierre Bonnet, qui nous montre de quel discours critique varié les *Essais* ont, sans relâche, été l'objet. De la part, d'abord — et souvent encore — des tenants de la critique littéraire traditionnelle : dans le sillage de Pierre Villey, avec le dessein — rarement réalisé — de suivre « son train qui va sans compagnon ». Voici quatre-vingts ans, dans sa thèse *Les Sources et l'Evolution des Essais*, Villey avait, au travers d'une enquête scrupuleuse, tenté d'assurer, sur l'élaboration de l'œuvre concrètement saisie, le plus possible de prises objectives ; de percevoir, sous l'allure capricieuse de la pensée et de son expression, une évolution individuelle de l'écrivain. Pierre Villey fournissait un tableau — que l'on n'a depuis que très peu enrichi — des lectures et des inspirations de Montaigne : répertoire de sources ou de simples souvenirs, à partir duquel il s'efforçait de cerner, de son mieux, les étapes de la composition des chapitres, greffant sur cette chronologie — incertaine, il le savait — une vision de la manière dont, à son avis, avaient évolué l'art et la pensée de Montaigne. De nos jours, nul n'accepte plus sans réserve l'idée, chère à Villey, que l'essai part d'une « impersonnalité » pour aboutir, à travers « la conquête de la personnalité », à l'épanouissement de « l'essai personnel », dans le « triomphe définitif de la peinture du moi ». Et personne n'évoque plus, sauf pour y apporter d'importantes retouches, l'image (que Villey n'avait pas figée) d'un Montaigne stoïcien, puis sceptique, puis naturaliste épicurien. Reste que la thèse si bien documentée de Villey garde son prix. Comme l'écrivait

3

naguère V. L. Saulnier : « Le château est encore bel et bon. Il prend tous les charmes du musée, sans perdre les fécondités de l'atelier. » De fait, dans cet atelier, actualisant Villey, bon nombre de recherches s'élaborent encore, à commencer par celles qui s'intéressent à l'intertextualité, reprise revivifiée, élargie aux questions de forme, de style et d'expression, du problème de la recherche des sources.

Le château, lui, était si bien « remparé » qu'à l'intérieur, Montaigne — solidement campé, il est vrai, sur la synthèse philosophique d'Hugo Friedrich (1949) — n'a guère été atteint par les assauts de la critique structuraliste et formaliste des années 1960-1970. A la fin de cette décennie, un tournant toutefois se prend : avec le stimulant petit livre de Jean-Yves Pouilloux, *Lire les « Essais »* (1969). S'y trouvent, avec allégresse, dénoncées les lectures « nombrilistes » d'une critique exploitant les *Essais* comme un livre de sagesse, comme une « minière » de maximes mises à la disposition de tous les faux-monnayeurs, ou bien s'efforçant d'extraire un ordre artificiel du désordre naturel dans lequel s'exprime une pensée enquêteuse, donc vagabonde. Comme J.-Y. Pouilloux, la critique (sans négliger les analyses thématiques attentives à la référentialité du texte, aux procédés de pensée et d'esthétique de Montaigne) s'est ensuite attachée à la lettre des *Essais*, au fonctionnement du texte plus qu'à son sens. Sans doute n'élimine-t-on pas toute approche historique, voire biographique (comment étudier l'ouvrage, en restant « à part de l'ouvrier » ?), mais l'intérêt s'est déplacé de l'auteur au lecteur et à la réception du livre ; du signifié (le contenu idéologique) au signifiant (le langage) ; du thème traité au texte, essentiellement double et souvent autodestructif, lieu d'une énonciation et d'un jugement. Les *Essais* sont désormais envisagés dans une perspective « moderne », à la lumière de nos préoccupations et de nos concepts ; ils sont soumis systématiquement à un type de question de notre temps, idéologique, philosophique, sociologique, anthropologique, structurale, psychanalytique, déconstructive, rhétorique, linguistique, stylistique, poétique... Dans tous les cas, ou presque, l'œuvre est privilégiée par rapport à l'homme. On étudie « l'anomalie structurelle de ce livre » singulier, où « le commentaire se combine avec le texte et le contrôle. On le réexamine sur arrière-plan de nominalisme et de réalisme ou en fonction de quelques notions capitales dans la théorie et la pratique de l'écriture de la Renaissance : la *copia*, l'inspiration, l'imitation, l'interprétation. On en propose des lectures purement philosophiques et d'autres que l'on peut dire « ludiques », qui mettent en valeur les paradoxes, le « bluff » et les « deceits » de l'écrivain. Autour de Montaigne, toute une critique — traditionnelle ou novatrice — est en mouvement dans le monde entier, en Amérique du

Nord, en Europe, au Japon. Avec des études, dont la diversité n'eût assurément pas étonné l'auteur des *Essais*. Etudes forcément inégales, parfois conflictuelles, qui témoignent toutes du prodigieux intérêt porté de nos jours à Montaigne et dont, autant que possible, nous avons voulu tenir compte dans le petit livre que voici[1].

1. Les citations des *Essais* sont faites d'après l'édition Villey-Saulnier (Paris, PUF, 1965) qui indique — non sans quelques erreurs — les principales couches du texte : A (édition de 1580) ; B (édition de 1588) ; C (ajouts et variantes de l' « Exemplaire de Bordeaux »). Pour la strate C, l'orthographe variable et la ponctuation personnelle de Montaigne ont été respectées dans notre transcription. Les références au texte ont été grandement facilitées par la pratique de la *Concordance des « Essais » de Montaigne*, préparée par Roy E. Leake (Genève, Droz, 1981).

Nous remercions de tout cœur nos collègues Mme Fausta Garavini et M. André Tournon pour leurs précieux conseils.

Chapitre Premier

MONTAIGNE
AVANT LA PUBLICATION
DES PREMIERS « ESSAIS »

L'enfance et l'éducation de collège

Sur les confins du Bordelais et du Périgord, une demeure seigneuriale, avec un large « prospect » sur un environnement de forêts et de vignobles : c'est là le lieu où, le 28 février 1533, vers la onzième heure avant midi (d'après cette sorte de calendrier que constituent les *Ephémérides* de Beuther) naquit Michel de Montaigne, fils de Pierre Eyquem et d'Antoinette de Louppes. Sa mère descendait-elle de juifs marranes expulsés de la péninsule ibérique ? C'est probable — sans être démontré — et l'on a parfois expliqué par là l'exceptionnelle clairvoyance de son fils sur lui-même. Pierre Eyquem, lui, était né en 1495 d'une famille qui s'était enrichie dans le commerce des vins, du pastel et du poisson salé et qu'avait, par prescription, anoblie, l'acquisition, en 1477, du château de Montaigne. Le premier des siens, il avait choisi le métier des armes et il avait pris « longue part aux guerres delà les monts ». « L'air d'Italie » avait affiné son esprit naturellement curieux et original. Aussi, en homme de la « génération du vert laurier » s'était-il laissé échauffer de « cette ardeur nouvelle de quoy le Roy François premier embrassa les lettres et les mit en credit ». Père attentif, le premier seigneur de Montaigne ne négligea rien pour donner à son fils une « forme d'institution exquise », inspirée des principes du *De Pueris statim ac liberaliter instituendis* d'Erasme. C'est ainsi que Michel, après avoir vécu quelque vingt-trois mois parmi les paysans chez qui ses parents l'avaient mis en nourrice et avec lesquels il dut bien, quoi qu'il en dise, utiliser ce dialecte périgourdin qu'il trouve « brode (mou), trainant, esfoiré (prolixe) », fut, au château, « donné en charge » à un précepteur venu d'Allemagne et du tout ignorant du français, qui ne devait employer que le latin avec son élève. A six ans, celui-ci entre au nouveau Collège de Guyenne à Bordeaux. Pour tous, le meilleur collège de France, avec ses maîtres réputés : Gouvéa, Guérente, Grouchy, Buchanan. Pour Michel, dont l'âme avait été élevée « en toute douceur et liberté, sans rigueur et contrainte », ce ne sera, dit-il, qu'une « geaule de jeunesse captive ». Il prétend y avoir désappris le latin — ce qui fut sans doute vrai, au début — mais il s'y enchanta, nous confie-t-il, à la lecture, en latin, des *Métamorphoses* d'Ovide au merveilleux mythologique si prenant, de l'*Enéide* de Virgile, des comédies de Plaute et de Térence, à la représentation sur scène du *Julius Caesar* de Marc-Antoine de Muret.

Du collège à la carrière juridique

Avec sa sortie du collège, vers les quinze ans, commence une période d'une dizaine d'années où son existence nous échappe presque complètement. Fit-il ses études de droit à Toulouse ? Sans produire d'arguments décisifs, Roger Trinquet en doute, qui n'hésite pas à parler du « mythe des études toulousaines » et qui voit plutôt Michel séjourner quelque temps à Paris, entre 1551 et 1556, et y suivre les cours de Turnèbe et du médecin Jacques Dubois, dit Sylvius. En 1556 ou 1557, Montaigne succède à son oncle paternel, le sieur de Gaujac, comme conseiller à la Cour, nouvellement créée, des Aides de Périgueux. En 1557, cette Cour supprimée, il est nommé à la Chambre des Enquêtes du Parlement de Bordeaux qui avait à examiner les « procès par écrit » en matière civile. On dit parfois que Montaigne n'a pas été un conseiller assidu. Rien, à la vérité, ne nous autorise à suspecter sa conscience professionnelle, reconnue par ses contemporains, confirmée par les cinq « arrests » rédigés et transcrits de sa main qui nous ont été conservés, et bien prouvée par ailleurs. Ni à majorer la part de l'ambition personnelle dans les motifs de ses déplacements auprès de la Cour : dans la suite du roi François II à Bar-le-Duc, en 1559 ; en 1567, aux fêtes triomphales qui suivirent la prise de Rouen.

Au Parlement de Bordeaux, Etienne de La Boétie siégeait depuis trois ans, quand Montaigne y fut transféré. Ce n'est pourtant pas là, mais « par hazard en une grande feste et compagnie de ville » que se produisit, en 1558, la première rencontre entre Montaigne et celui qu'il reconnut aussitôt comme son *alter ego*. A la Boétie allait, désormais, le lier, voulue « par quelque ordonnance du ciel », une admirable amitié qui « n'a point d'autre idée que d'elle mesme, et ne se peut rapporter qu'à soy ». Amitié qui n'avait, hélas, que « peu à durer », puisque La Boétie devait mourir en 1563, à l'âge de trente-trois ans ; amitié intellectuelle, passionnée, unique et exquise, que Montaigne évoquera toute sa vie (sans jamais pouvoir mieux l'expliquer qu'en parachevant le « par ce que c'estoit luy ; par ce que c'estoit moy ») et à laquelle, sans nul doute, nous devons, pour une bonne part, l'entreprise de l'écriture des *Essais*.

Le 23 septembre 1565, deux ans après la mort de celui qu'il avait aimé comme un héros exceptionnel, comparable à ceux de l'Antiquité, mais égaré dans un siècle de manifeste médiocrité, Montaigne, pourtant « rebours » au mariage, épouse, à l'invitation pressante de son père, Françoise de La Chassaigne, fille et petite-fille de parlementaires bordelais en vue, qui devait lui donner six filles, dont une seule, Léonor, vécut. Selon les témoignages contemporains, la jeune épouse (elle avait onze ans de moins que Michel) était belle, accueillante ; et, de l'aveu même de son mari, douée, en plus, de la « vertu œconomique » : comprenons par là qu'elle s'entendait fort bien dans l'administration des affaires du ménage, que le museur maître de maison — à qui elles pesaient — devait, de plus en plus, lui « laisser en main ». Pourquoi, dès lors, à lire les *Essais*, ce sentiment — plus ou moins net — d'un échec de la vie conjugale du couple ? Serait-ce parce que Montaigne, sans être un mauvais mari (pas plus qu'un mauvais père), n'avait — il le reconnaît lui-même — que peu de goût pour le commerce proprement conjugal, auquel il ne demandait qu'une « volupté aucunement prudente et consciencieuse » ? L'explication doit être plus complexe. Quoi qu'il en soit, la passion de Montaigne ne fut pas Françoise de La Chassaigne, mais Estienne de La Boétie, l'ami parfait, dont le nostalgique éloge dans les *Essais* n'a jamais cette ambiguïté, ne présente jamais ces réserves que l'on découvre à propos du père, « le meilleur des pères... et le plus indulgent », certes, mais exemple trop exemplaire plutôt que véritable modèle pour son fils.

Le 18 juin 1568, Pierre Eyquem mourait sans avoir pu lire la traduction, qu'à sa demande son fils avait composée d'un livre latin du théologien catalan Raymond Sebon, la *Theologia naturalis seu liber creaturarum, specialiter de homine*, sorte d'essai de démonstration rationnelle de tous les dogmes du christianisme, ouvrage achevé en 1436, publié en 1484-1485 et auquel Montaigne s'était intéressé dès avant 1565. La mort de son père faisait de Michel, après que ses frères et sœurs eurent reçu leurs parts respectives d'héritage, le possesseur d'une fortune considérable : six mille livres de rente, qu'il engrange dans sa « boîte », jusqu'alors souvent vide. Sans doute le testament stipulait-il que la veuve de Pierre serait « nourrie et entretenue sur les biens ... dudit feu seigneur testateur, avec mesme autorité et tout ainsi qu'elle avait esté pendant sa vie », mais Michel, qui, dans les *Essais*, parle encore moins de sa mère que de sa femme, obtint devant notaire, le

31 août 1568, que « le commandement et maistrise » du château lui demeurassent entièrement. A trente-cinq ans, le voici donc pleinement maître de ses biens. Il veut être, aussi, maître de sa vie. Il va le devenir. En résignant en faveur de Florimond de Raemond, le futur historien de la *Naissance, progrez et decadence de l'heresie de ce siecle* — à qui il fera, par la suite, des confidences sur l'identité de certains personnages non nommés des *Essais* — sa charge de conseiller au Parlement de Bordeaux : charge dont il avait très vite décelé la piperesse vanité et qui, selon certains, n'avait peut-être pas répondu à toutes ses espérances de carrière. En fait, l'a pris « une resverie de se mesler d'escrire » (II, 8, 385, A) : pour « maintenir » dans son vrai visage l'ami perdu qu'il pleure. Mélancolie fondatrice des *Essais*, où dans l'esprit de Montaigne va, à défaut de l'impossible échange par paroles ou par lettres, se poursuivre le dialogue interrompu par la mort. En attendant, Michel entreprend de publier les « brouillars et papiers » que lui a laissés La Boétie. Celui-ci était, il est vrai, plus soucieux de composer sa vie que de composer des livres, mais il sera, pense Montaigne, sensible dans l'outre-tombe aux soins officieux d'un ami désireux de le « ressusciter et remettre en vie ». Compensation de la mort de La Boétie par la mise au monde de ses œuvres, paraissent ainsi, en 1571, chez Frédéric Morel, à Paris, les poésies latines *(Poemata)* du Sarladais, ses traductions françaises des *Règles de mariage* de Plutarque et de la *Mesnagerie (L'Economique)* de Xénophon, ainsi que la lettre — si commentée de nos jours — de Montaigne à son père sur « la maladie et mort de feu Monsieur La Boétie », sage stoïcien et chrétien. Suivront, quelques semaines plus tard, dans un recueil séparé, des vers français du disparu : destinés, les uns, à chanter l'amour de La Boétie pour sa future épouse ; dédiés, les autres, par Montaigne, à la belle Corisande d'Andoins. Les accompagne, précédée d'une affectueuse lettre écrite le 10 septembre 1570 par Montaigne à son épouse, qu'éprouvait la mort, à deux mois, de la petite Thoinette, leur fille première née, la version par La Boétie de la *Lettre consolatoire de Plutarque à sa femme*. Tel qu'il est, ce Tombeau reflète bien les activités littéraires de l'humaniste La Boétie. Le mémorial reste cependant incomplet, dérobant au public deux textes dont Montaigne possédait pourtant les manuscrits : le *Memoire sur la pacification des troubles* (ou *Memoire sur l'Edit de janvier 1562*) et *La Servitude volontaire*. Sur l'absence de ces deux écrits, Montaigne s'explique dans « l'Advertissement au lecteur » qui ouvre le principal recueil de 1571 : il « leur trouve la façon trop delicate et mignarde pour les abandonner au grossier et pesant air d'une si malplaisante saison ». Autrement dit, il ne renonce pas définitivement à publier ces deux textes, dont il signale de manière habile l'existence au lecteur ; il se réserve de les mettre au jour en des temps

meilleurs, dans des conditions et dans un cadre tels que les véritables intentions de l'auteur n'en seront pas trahies. Sur ce qu'était « l'objet » réel de *La Servitude volontaire*, la critique — qui ne suit plus guère l'opinion du Dʳ Armaingaud selon lequel Montaigne aurait été l'auteur « sinon unique du moins principal » de ce violent pamphlet visant alors Henri III — reste très partagée. On peut cependant reconnaître que *La Servitude volontaire* (rebaptisée plus tard *Contr'Un*) se présente comme un appel — d'inspiration anti-machiavélienne — à la désobéissance civique, à la résistance passive face à la tyrannie, dont le seul fondement, explique l'auteur, tient dans le consentement des peuples. Ces peuples, en général, sont invités à se libérer eux-mêmes d'un esclavage dont ils ont perdu la conscience et qui les avilit, les ravalant au-dessous de la condition des bêtes. Quand elle fut composée, *La Servitude volontaire*, même si elle fait, ici et là, la part belle aux réserves devant le pouvoir royal, n'avait rien d'une œuvre « engagée » ; sa portée devait être plus morale que politique. Vingt-cinq ans plus tard, Montaigne se rend compte qu'il en va tout autrement. La suite des événements risque, en effet, de conférer à l'œuvre une actualité brûlante, que La Boétie n'avait, bien sûr, pu prévoir et de faire du vibrant traité d'un humaniste épris de liberté le factum d'un forcené factieux. Montaigne décide, donc, d'en différer la publication. A-t-il déjà l'intention de placer, plus tard, le discours de son ami dans ses futurs *Essais*, à côté du chapitre « De l'amitié », qui aurait, alors, été composé presque entièrement avant 1570 ? Un critique récent, Georges Pholien, le pense. Il est certain qu'une seconde fois Montaigne décida de ne pas prendre le risque de donner de La Boétie une autre image que celle — totalement vraie — de l'homme qu'il avait intimement connu et dont il rappelle qu'« il ne fut jamais meilleur citoyen [que lui] ny plus affectionné au repos de son païs, ny plus ennemy des remuements et nouvelletez de son temps ». On sait par suite de quelles fâcheuses circonstances historiques, le chapitre « De l'amitié » (I, 28), avec ses deux ruptures si manifestes au début et à la fin, ne s'ouvre que sur une châsse vide, sans *La Servitude volontaire*, entre temps transformée en pamphlet antiroyaliste par les publications qu'entre 1574 et 1577 en firent les réformés. Le *Memoire*, lui, ne fut pas imprimé du temps de Montaigne. Celui-ci, certes, ne pouvait pas manquer d'être intéressé par cette œuvre politique (et, a-t-on dit, théologique) de la maturité de La Boétie. Il s'abstint, pourtant, de la publier : peut-être, parce qu'après les derniers décrets du Concile de Trente, il trouvait définitivement dépassée par les événements la position conciliatrice soutenue jadis par son ami et par les partisans (Michel de l'Hospital en était) de ce compromis entre les deux Eglises, que favorisait l'Edit de janvier 1562.

La retraite sur le sein des doctes vierges

Accompli son pieux devoir de fidèle amitié, Montaigne quitte
Paris pour revenir dans son château, où, le 28 février 1571, jour de
son trente-huitième anniversaire, il fait inscrire sur le mur d'un
cabinet de travail contigu à sa bibliothèque, son dégoût du Parlement,
son amour des lettres, sa passion de la liberté. Il habite sa tour,
secouée matin et soir par le « tintamarre » de la « fort grosse cloche »
qui sonne l'*Ave Maria*. Au rez-de-chaussée, la chapelle ; au
premier étage, la chambre à coucher. Au second, dans sa
« librairie », jusqu'alors « le lieu le plus inutile de *sa* maison »,
au milieu d'un millier de volumes, posés à plat, selon les habitudes
de l'époque, il « feuillette à cette heure un livre, à cette heure un
autre, sans ordre et sans dessein, à pieces descousues ». A l'abri,
autant que faire se peut, des tracasseries de la « communauté et
conjugale et filiale et civile ». Retiré, mais non pas reclus. Il reçoit
des hôtes connus : Jacques Peletier, Blaise de Monluc, la famille
des Foix-Candale. Lui-même, appelé par quelque mission, diplomatique
ou autre, s'absente souvent de chez lui, parfois pour
plusieurs mois. Volontiers, il multiplie, au dehors, de longues
chevauchées, « de huit et dix heures ».

Les 24 août et 3 octobre 1572, s'ouvre l'horreur des Saint-
Barthélémy parisienne et bordelaise, dont Montaigne ne dit rien
dans les *Essais* : silence conforme au mot d'ordre des Politiques
mais, assurément, réprobation muette qu'eussent peut-être rendue
parlante les pages du *Beuther* arrachées à la date de l'événement. A
la même époque, sort des presses de Michel de Vascosan, à Paris,
la traduction française des *Œuvres morales et meslées* de Plutarque
par Amyot, qui sera désormais l'un de ses maîtres-livres : bréviaire
de vie réglée en des jours déréglés. Car la guerre civile est
devenue « la trame du quotidien », dans laquelle Montaigne,
honoré, en 1571, de l'ordre de Saint-Michel qui a fait de lui un soldat,
et nommé gentilhomme de la Chambre du Roi, en 1573, doit
sans doute intervenir. Mais, presque jamais, il ne parle dans les
Essais de sa participation personnelle à la vie militaire de l'époque.
Depuis les « troisiesmes troubles », la guerre n'est plus qu'un
déferlement de haine. Montaigne ne l'évoquera que pour en
dénoncer les cruautés. Les futurs *Essais* constituent désormais sa
ration de vie, sa raison de vivre. Lui qui n'était plus « qu'à demi »
après la mort de La Boétie se trouve recréé dans son intégralité
par son « travail du deuil », par la préparation de ce livre qui lui
sera « consubstantiel ». Dans sa « librairie », où il revient le plus
souvent possible, il lit beaucoup. Ses « amis » les plus fidèles
sont « les bons et anciens Poëtes », les historiens, « sa droitte bale »,
les écrivains politiques, les auteurs de *Mélanges* et de *Leçons*,
les moralistes, comme le Plutarque d'Amyot et Sénèque. Il écrit

beaucoup aussi, faisant son miel de tout, ouvrant tout pour essayer de se découvrir tout entier.

Le 30 mai 1574, au château de Vincennes, meurt le roi Charles IX, auquel Montaigne était resté très attaché, même après la Saint-Barthélémy. Lui succède Henri III, revenu à la sauvette de Pologne, où il avait été élu roi, et bien décidé à livrer aux protestants une guerre implacable. Recommence, alors, le cycle infernal des guerres civiles, sur fond de plus en plus sombre de crise financière grave, de misère matérielle et morale d'un pays déchiré qui court vers son suicide. Sans négliger ses obligations « d'homme nay à la société et à l'amitié », sans renoncer à ses projets politiques et autres, Montaigne, qui souffre de la confusion, de l'angoissante instabilité de l'époque, continue, chez lui, à étudier, à s'étudier. Dans l'admiration des Anciens : Plutarque, toujours ; Lucrèce, massivement. Dans l'attention la plus vigilante aux publications contemporaines, telles la traduction par Henri Estienne, en 1575, des *Hypotyposes* de Sextus Empiricus, ouvrage auquel, comme au *De vanitate scientiarum* d'Henri-Corneille Agrippa, il empruntera beaucoup dans l'« Apologie de Raimond Sebond ». En 1576, il fait frapper la fameuse médaille à la balance emblématique. Elle porte, d'un côté, ses armes entourées du collier de l'ordre de Saint-Michel, de l'autre, avec la date 1576, son âge, 42 ans, la devise de Sextus Empiricus : ἐπέχω (que lui-même traduira par *je soutiens, je ne bouge*) et le célèbre « Que sais-je ? ». Tentation d'une « seconde retraite, qu'il voudrait totalement oisive » comme l'écrit Michel Butor ? Il est possible. Mais, bien vite, Montaigne va reprendre son activité littéraire : pour composer, entre 1576 et 1580, une trentaine de chapitres de ce qui allait constituer les deux premiers livres des *Essais*. En jetant, à l'occasion, un regard générateur de méditation, sur les citations de la Bible (non pas inventées par lui, mais empruntées, sans doute, à une version latine) et sur les sentences d'auteurs grecs et latins (on a publié, au total, cinquante-sept inscriptions) qui, depuis 1575 environ, ornaient les travées de sa « librairie ». En grimaçant, parfois, sous l'effet des « douleurs extrêmes de la pierre » qui obligent le nouveau gentilhomme de la Chambre du Roy de Navarre (1577) à des cures thermales dans les Pyrénées, en 1578 et 1579, et qui lui font redouter d'avoir bientôt à affronter la même pénible mort qui avait été celle de son père. Alors, afin de rester présent par-delà la mort et son mutisme, il va publier des « pieces de sa peinture » : de traducteur et d'éditeur qu'il était, il va devenir auteur.

Chapitre II

LES « ESSAIS » DE 1580

En 1580, paraissent, *in octavo*, à Bordeaux « par S. Millanges, Imprimeur ordinaire du Roy », avec privilège du 9 mai 1579, des « *Essais* » *de Messire Michel de Montaigne, chevalier de l'ordre du Roy et Gentilhomme ordinaire de sa Chambre*. Livre premier et second. Au total 94 chapitres : 57 dans le premier livre (496 p.) ; 37 dans le second (650 p.). De ces chapitres (et non essais), les uns sont courts, voire très courts : 16, comme « Le profit de l'un est dommage de l'autre » (I, 22) et « Comme nostre esprit s'empesche soy-mesme » (II, 14) n'occupent, chacun, qu'à peu près deux petites pages, dans l'édition originale que met à notre disposition la reproduction photographique de Daniel Martin. D'autres sont nettement plus longs. Ainsi, « De l'institution des enfans » (I, 26) ou « De la praesumption » (II, 17) se développent respectivement sur 56 et 42 pages ; beaucoup moins étoffés cependant que l'énorme massif de l'« Apologie de Raimond Sebond » (II, 12), avec ses quelque 250 pages, presque le quart de l'ensemble.

Sur les dates de composition de ces chapitres, l'incertitude subsiste. On admet, en général, l'existence de deux grands groupes. Le premier (qui rassemblerait les chapitres 2 à 23 et 33 à 48 du premier livre, ainsi que les chapitres 2 à 6 du second livre) daterait de 1571-1574. Le deuxième correspondrait

13

aux années 1578-1579. Simples approximations. Il est, en effet, très difficile, de dater avec exactitude les divers chapitres des *Essais*, sauf dans le cas où ceux-ci contiennent des allusions à des événements dont la date est connue. Ainsi, dans « Que philosopher c'est apprendre à mourir », Montaigne déclare que, depuis « justement... quinze jours », *il a* « franchi 39 ans ». Ce passage (et non pas forcément tout le chapitre) a donc été écrit à la mi-mars 1572. C'est tout ce que l'on peut dire.

L'avis « Au lecteur »

L'ouvrage s'ouvre sur un avis « Au lecteur » daté symboliquement du 1er mars 1580, lendemain du quarante-septième anniversaire de l'auteur. Particulièrement « sensible aux échéances chronologiques » (Fausta Garavini), Montaigne a, sans doute, voulu marquer ainsi, dans le rappel implicitement évoqué de sa naissance à la vie (28 février 1533) et de sa naissance à la liberté (le jour de sa retraite, le 28 février 1571) « l'après », désormais venu, d'une partie déjà bien longue de son existence. Du « voyage de *sa* vie », il veut qu'après sa mort, sans doute prochaine, fasse témoignage vivant, survivant, le livre qui vient de naître, dont il est le père et au titre duquel il inscrit — non sans orgueil — le nom noble qu'il est le premier de sa famille à porter.

L'avis annonce, non pas une autobiographie, ni des mémoires (on a même parlé des *Essais* comme d'anti-mémoires), mais un autoportrait (« C'est moy que je peins »), destiné « à la commodité particulière » du cercle restreint « des parents et amis » de l'écrivain. Dans cette représentation « en papier » (II, 37, 784, A) ceux-ci pourront, lorsqu'il aura disparu, retrouver, en vivante vérité, « aucuns traits de ses conditions et humeurs et, par ce moyen, *nourrir* plus entière et plus vifve la connaissance qu'ils ont eu de luy ». Montaigne affirme ne pas rechercher la « faveur du monde »; c'est cependant à des lecteurs fictifs souhaités plus nombreux que s'adresse l'avis, même si l'auteur, dans l'un de ces mouvements d'autodépréciation maniériste qui lui seront coutumiers, y insiste, avec ironie, sur l'inanité de son surprenant projet que ne justifient, dit-il, ni intentions littéraires, ni intentions didactiques. Mais que recommande sa sincérité : « C'est icy un livre de bonne foy, lecteur. » En soulignant, dès l'entrée, sa bonne foi, l'auteur s'accorde le droit de revendiquer, en retour, la confiance du lecteur. Un lecteur singulier pour une œuvre singulière, qui découvrira dans cette peinture parlante, à travers cette écriture parlée, la représentation sans apprêt des façons d'être et de penser d'un homme confiant à d'autres hommes, sa « forme naïfve » et jusqu'à ses « defauts ». Plus encore qu'un programme, l'avis « désigne » emblématiquement un code de lecture et propose un pacte particulier. Pour Montaigne, la sincérité du « je » individuel qui s'exprime dans l'écriture des *Essais* est une pétition de principe, que tout lecteur qui n'aura pas connu l'homme, devra, par généreuse réciprocité, accepter, d'emblée, sans réserve : condition première d'une lecture qui ne doit être ni celle d'un esprit conventionnel ni celle d'un « sçavanteau ».

Sous un titre-trouvaille, un projet très personnel

L'œuvre s'intitule *Essais* (sans article défini). Ce sont, sous un titre original, quelques-unes des expériences, des expérimentations, des « assays » (M. A. Screech), des mises à l'épreuve que Montaigne préoccupé par le problème de la connaissance, s'est efforcé de faire de ses « facultez naturelles » (I, 26, 146, A). Ce n'est donc pas par hasard que le premier livre s'achève sur le mot « apprentissage ». Montaigne, dans sa « librairie », avait pris, très vite, l'habitude d'écrire, d'abord, en marge de ses livres ; nous avons ainsi conservé les annotations qu'il a portées sur les *Annales et Croniques de France* de Nicole Gilles, sur le *De rebus gestis Alexandri Magni* de Quinte-Curce, sur les *Commentaires* de César. Lisant la plume à la main, tantôt il soulignait un passage, tantôt il notait un jugement sur la langue ou le style, ou bien encore il indiquait une correction à apporter au texte. Puis, « pour subvenir un peu à la trahison de sa memoire et à son défaut » (qu'il aggrave volontiers) il avait ajouté, à la fin de chaque livre dont il ne voulait se servir qu'une fois, le jugement qu'il en avait retiré, en gros. Il transcrira, ainsi, dans les *Essais* (II, X, 418, A) « aucunes de *ses* annotations » sur des auteurs, comme Guichardin, Philippe de Commynes, les frères Du Bellay. Mais, plus encore qu'à ces historiens avisés, c'est aux compilateurs qu'allait son intérêt : Aulu-Gelle et Valère Maxime chez les Anciens et, plus près de lui, Cœlius Rhodiginus et les deux Espagnols, Pierre de Messie et Antoine de Guevara, dont les recueils avaient été traduits en français, en italien, en anglais. Le séduit la désinvolture savante de ces compilateurs qui, dans leurs *Variae lectiones*, juxtaposaient, souvent sans lien, les éléments les plus divers. A leur exemple, Montaigne se mit à faire la compilation de ses propres pensées, notant ses idées, comme il recueillait les curiosités des *Diverses Leçons*, et tâchant de « mettre en rolle » (I, 8, 33, A) ces « chimeres et monstres fantasques » qu'enfantait son esprit volontiers enclin à « faire le cheval eschapé » et dont il voulait contempler « l'ineptie et l'estrangeté » *(ibid.)*. Contrairement à ce qu'on a longtemps affirmé une tradition alors autorisée, le matériau premier des *Essais* n'est pas constitué de simples « notes de lecture » enregistrées sans idée directrice, mais bien d'éléments regroupés pour servir à la réalisation, par Montaigne, de son projet de se connaître, et de se faire connaître dans sa réalité vraie. En se peignant, autant que le permettait le respect des usages, « tout entier, et tout nud », alors qu'autour de lui il ne voyait qu'apparences et que masques.

La question de l'ordre des chapitres

Ce « fagotage de tant de diverses pieces » (II, 37, 758, A), Montaigne a-t-il voulu l'organiser, dans les *Essais* de 1580, où l'on ne voit parfois que désordre total ? En douter *a priori* serait oublier que les deux livres sont constitués de « chapitres », terme qui implique des unités textuelles liées entre elles et non pas indépendantes ? Pierre Barrière avait cru pouvoir découvrir un thème central, la retraite, pour le premier livre ; un autre, le suicide, pour le second. Mais qui ne voit que, comme l'a fait remarquer R. Sayce, il est bien difficile de placer « tout le second livre, y compris l' "Apologie", sous le signe du suicide » ? Plus récemment, Daniel Martin a proposé — sans vraiment convaincre — une structure des deux premiers livres essentiellement mnémonique, qui devrait beaucoup à la rhétorique et aux arts de mémoire, si célèbres au XVIᵉ siècle. On connaît davantage l'architecture proposée par Michel Butor. Ecrit, selon M. Butor, pour l'essentiel entre 1571 et 1574, le premier livre, avec ses 57 chapitres, devait se structurer autour de la *Servitude volontaire* de La Boétie, qui, introduite par le chapitre « De l'amitié » (I, 28), aurait occupé la place centrale de l'ensemble, constitué, pour le reste, d'un entourage maniériste « de crotesques... n'ayants ordre, suite ny proportion que fortuité » (I, 28, 183, A). Symétrie donc, sur le nombre 29. Qui reste, providentiellement, maintenue, lorsque Montaigne, ayant dû pour un temps renoncer à publier la *Servitude*, se voit contraint de faire, avec les 29 sonnets de La Boétie, que lui a envoyés le sieur de Poiferré, un tableau central de remplacement — qu'il supprimera, d'ailleurs, par la suite. A la perte du précieux centre primitivement prévu, Butor attribue la nécessité où se serait trouvé Montaigne d'accompagner le premier livre d'un second, composé, lui, entre 1576 et 1580, autour de l' « Apologie ». Mais la débordante « Apologie » (II, 12) ne se situe pas au centre numérique des 37 chapitres du second livre. C'est, selon M. Butor, qu'elle n'est qu'un rempart avancé du véritable foyer-pivot de ce second livre : l'important chapitre « De la liberté de conscience » (II, 19). Personne ne peut valablement contester l'intérêt exceptionnel de ce chapitre, « noble portrait » de l'apostat empereur Julien, cette « figure essentielle des *Essais* et de leur auteur » et, ainsi que l'a montré Géralde Nakam, réplique au *Mémoire sur l'Edit de janvier* ; miroir donc « pour l'ami perdu », comme la *Servitude volontaire* devait l'être dans le plan projeté du premier livre. Reste que, fondé sur des hypothèses invérifiables, notamment dans le délicat domaine de la datation précise de divers chapitres, l'ingénieux, mais déformant essai de M. Butor n'entraîne pas une totale adhésion. Libre à chacun d'entreprendre de dégager une architecture, à condition de ne pas prétendre que c'était là, sans aucun doute, celle que Montaigne avait en tête. Manifestement, Montaigne n'est pas indifférent à la liaison de ses chapitres entre eux. Apparaissent, dans les deux premiers livres, des massifs plus ou moins nettement délimités. Les 19 premiers chapitres du livre I concernent, en gros, la conduite du gentilhomme dans la guerre et dans la négociation. Des associations thématiques, parfois soulignées par des attaches syntaxiques de Montaigne lui-même, relient certains chapitres à leurs voisins immédiats. Ainsi I, 6 (« L'heure des parlemens dangereusse ») reprend, pour le continuer, l'argument de I, 5 (« Si le chef d'une place assiegée doit sortir pour parlementer »). Sont unis également par leur contenu les chapitres I, 20, 21, 22 (on ne doit pas éprouver devant la mort cette crainte qui n'est souvent qu'un effet de l'imagination) ou les chapitres II, 19, 21, 22, exemples, comme l'a montré M. Meijer, d'empereurs ou de rois qui se dévouent pour leurs peuples et de peuples qui se dévouent pour leurs princes. Se constituent de la sorte, par parenté de thèmes (que l'on songe encore aux chapitres II, 35, « Des trois bonnes femmes » et II, 36, « Des plus excellents hommes... » qui se trouvent, eux aussi, être trois), par liaisons obliques ou par associations d'idées, des « noyaux de structure à l'intérieur desquels l'interdépendance est un fait acquis » (R. Sayce). Procédés variés de groupements auxquels il faut ajouter les jeux volontaires d'échos, signalés par Villey, entre le chapitre initial du premier livre et les deux chapitres d'ouverture et de clôture du second qui (comme, d'ailleurs, le chapitre final du premier livre) brodent sur le thème de l'inconstance de l'homme « merveilleusement vain, divers, et ondoyant » (I, 1, 9, A). Il y aurait cependant beaucoup d'outrecuidante témérité à vouloir s'atteler à une entreprise globale de stricte reconstruction. S'y opposent, dans une œuvre a-systématique, « la multiplicité et le miroitement » de thèmes « s'emboîtant » (P. Moreau) l'un dans l'autre. Et de réelles ruptures de continuité : entre certains chapitres et ceux qui les encadrent ; entre d'autres chapitres, qu'aurait dû rapprocher leur contenu (ainsi, I, 19, « Qu'il ne faut juger de nostre heur qu'après la mort » et II, 13, « De juger de la mort d'autruy ») et que le texte éloigne considérablement. Pas d'ordre constant, donc, ni de désordre anarchique, mais une relative autonomie, une relative interdépendance. Montaigne voulait se présenter en sa « demarche » « naturelle et ordinaire » (« Au lecteur », 3, A). Après 1588, il corrigera « demarche » en « marche ». De fait, c'est déjà la libre marche de sa pensée qu'épouse l'organisation des deux premiers livres. Plus qu'il ne compose, Montaigne associe sans dessein contraignant, suivant, à l'occasion, l'ordre chronologique de composition des chapitres : avec toute la souple variété d'allure qu'autorise son projet. Et c'est en respectant le mouvement de cette méditation qui, sans repos, essaie ses « songes », en suivant cette marche circulaire, sans vouloir en bouleverser les étapes — qui ne sont jamais des arrêts — ni s'aviser d'en modifier le rythme, qu'il nous faut lire les *Essais*.

Sur « l'impersonnalité » des chapitres premiers nés

De ces deux premiers livres, la critique a eu longtemps tendance à mépriser les chapitres courts, surtout ceux dont la composition est — ou paraît être — la plus ancienne. Chapitres maigres, secs, a-t-on dit ; chapitres impersonnels ; tiroirs « où l'auteur pourra jeter pêle-mêle... toutes sortes d'anecdotes, de remarques piquantes » (P. Villey). Depuis quelque vingt-cinq ans, une réhabilitation se dessine. Qui met avec raison l'accent non seulement sur les indications que ces chapitres nous livrent sur « l'homme Montaigne, sur ses espoirs, ses craintes, ses particularités de caractère, ses goûts, ses dégoûts » (R. La Charité). Mais encore sur ce que nous y découvrons du Montaigne penseur qui, sur ces petits sujets « si vains » (I, 13, A, 48), exerce son jugement, exprime ses opinions personnelles assorties d'expressions comme : *à la vérité, ce me semble, je ne croy pas*. Et du Montaigne artiste, qui interpelle avec vivacité son lecteur, n'hésite pas à manier l'ironie, pratique déjà un commentaire réflexif sur cette « galimafrée » que sont ses *Essais*. Il n'est pas jusqu'au plus petit des chapitres, « Des pouces » (II, 26), « avorton » jadis si décrié, brève série de cinq notes hétéroclites relatives à ce doigt (le plus court de tous mais, non sans mérite, aux yeux des Anciens et dans lequel Fausta Garavini voit une métaphore du sexe masculin) qui ne se trouve aujourd'hui, mis en dignité, lorsqu'on le rattache aux chapitres qui le précèdent et qu'on le regarde comme conduisant directement, par son dernier exemple dans l'édition de 1580, au chapitre suivant, « Couardise mere de la cruauté », dont le sujet tient vraiment à cœur à Montaigne, parce qu'il est réflexion sur la vertu et éloge du « general devoir d'humanité ».

Sénèque, Lucrèce et Plutarque

Personnelle, donc, dans les chapitres du début et, plus encore, dans ceux qui, avant 1580, furent écrits les derniers, la pensée de Montaigne se nourrit pourtant toujours de lectures. Parmi les auteurs classiques qu'il pratique le plus : Sénèque, Lucrèce, Plutarque.

Les *Epîtres* de Sénèque constituaient un magasin parfaitement fourni de nobles leçons de philosophie morale, exprimées dans un style « plein de pointes et de saillies » (II, 10, 413, A). Dans la tragique crise des valeurs chrétiennes que connaissait l'époque, la renaissance du stoïcisme leur valait un réel regain d'actualité. A la recherche de son identité, Montaigne voit, dans la lecture des *Epîtres*, l'occasion d'un retour à soi sur le mode stoïcien. Ainsi, le chapitre I, 14, « Que le goust des biens et des maux depend en bonne partie de l'opinion que nous en avons », reprend, pour l'essentiel, des pensées de Sénèque (citations latines, emprunts traduits en français, adaptations) reproduites dans un style épigrammatique, à la Sénèque. C'est encore du philosophe latin que Montaigne tire la matière du chapitre II, 2, « De l'yvrongnerie » et celle du chapitre II, 3, « Coustume de l'isle de Cea » où, sous un titre peu transparent, il revient au thème du suicide déjà présent dans I, 14 et dans I, 20. De ce chapitre I, 20, « Que philosopher c'est apprendre à mourir », la tonalité est, elle aussi, sénéquienne, mais l'ensemble doit beaucoup à Lucrèce, dont l'influence sur Montaigne, « fut assez considérable » (P. Villey). Ainsi c'est Lucrèce qui, à la fin du chapitre, fournit à l'essayiste, porté, semble-t-il, vers le pessimisme épicurien, la célèbre prosopopée de la Nature. Ne faisons cependant pas de Montaigne un stoïcien ou un épicurien. En lisant, il a découvert que les exemples de la philosophie morale sont autant d'exceptions sans règles. C'est pourquoi, d'ailleurs, il a, déjà, dans bon nombre de ses premiers chapitres, profondément modifié le genre traditionnel des *Diverses leçons*. Ainsi que l'a fait remarquer A. Tournon, « si, comme dans les leçons, le texte de Montaigne associe des considérations générales et des exemples, ceux-ci s'opposent à celles-là, au lieu de les illustrer, et révoquent en doute à travers elles les idées reçues que l'auteur a paru prendre à son compte ». Dès le départ, l'œuvre « se conforme à un projet philosophique » : il s'agit de « chercher sans prétendre à conclure, de passer au crible des systèmes variés, de les essayer dans la perpétuelle défiance de ce que leur statut peut présenter d'autoritaire ». Comment dès lors, l'homme Montaigne en quête de lui, l'écrivain en quête de sa propre pensée, aurait-il pu s'identifier aux Stoïciens ou aux Epicuriens, ces dogmatiques, aux préceptes desquels (il le dira plus tard) il trouvait, au demeurant, « un peu de rigueur et d'inhumanité » ?

Rien de pareil chez l'éclectique et compréhensif Plutarque qu'Erasme et Rabelais avaient déjà largement pratiqué. Montaigne connaissait depuis longtemps ses 50 *Vies parallèles*, réunies par Amyot (dont trois seulement, celles de Coriolanus, d'Artaxerxes et d'Aratus, n'apparaissent pas dans les

Essais) et, sans doute, quelques-uns de ses traités moraux. La publication des *Œuvres morales et meslées* dans la version d'Amyot — qu'il lit dans l'édition de 1572 — va le confirmer dans ses réserves à l'égard des Stoïciens, auxquels, dans trois traités, Plutarque adresse le double reproche d'étrangeté et d'inconséquence, et des Epicuriens dont, dans trois opuscules également, le philosophe grec dénonce l'irréligion foncière, les doctrines si pernicieuses qu'il n'est, selon lui, pas possible de vivre *suaviter secundum Epicurum*.

Des 75 opuscules recueillis dans les *Œuvres morales*, 13 ne feront pas l'objet d'emprunts, ni même d'allusions, dans les *Essais* : ceux-là mêmes que la critique actuelle trouve, d'ordinaire, les moins intéressants : les déclamations, les traités de critique littéraire. Les autres sont inégalement utilisés dans les *Essais* de 1580. Ainsi aucun rapprochement avec les *Œuvres morales* dans certains chapitres (par exemple dans I, 2, 3, 7, 9, 11, 12, 13, 15, 16, 18, 21, 22, 29, 35, 53 ou dans II, 20, 22, 25, 30, 35). Leur présence est encore modeste dans I, 25 « Du pedantisme » ; plus nette en I, 26 « De l'institution des enfans » ou en II, 11, « De la cruauté » ; massive (plus d'une grosse centaine d'arguments, de réminiscences, contre six seulement aux *Vies*) dans l' « Apologie de Raimond Sebond ». En lisant les *Œuvres morales,* le Périgourdin a découvert la parenté d'esprit qui l'unit au Chaeronéen : même intérêt pour les observations morales et psychologiques, utiles à la connaissance de l'homme ; même goût pour « une forme d'escrire douteuse en substance et un dessein enquerant plutost qu'instruisant » (II, 12, 509, A) ; même volonté de « diversement traicter les matieres » *(ibid.)* ; même attrait pour une science solide, faite non de mots, mais de « choses », « traictée à pieces décousues » (II, 10, 413, A) dans une profusion d'images donnant à voir « l'univers comme un ensemble d'affinités ou de correspondances, qui révèlent l'unité des choses concrètes et, à la fois, l'identité du monde concret avec celui des abstractions » (M. Baraz). Aussi, savoure-t-il (II, 31, 716, A) les œuvres de celui qui est son « homme, en toutes sortes » (II, 10, 416, A), qu'il aime parce qu'il a « les opinions platoniques douces et accommodables à la société civile » (II, 10, 413, A) et qu'il finira par « connoistre jusque dans l'ame » (II, 31, 716, A). Avec lui, il apprend à se mieux examiner et juger, à « renger *ses* humeurs et *ses* conditions » (II, 10, 413, A) et à écrire de façon plus naturelle, moins guindée, sur les mobiles et sur les comportements des hommes en général et, de lui en particulier. Mobiles, comportements, actions, dont la diversité (c'est le mot révélateur sur lequel se clôt le second livre), la singularité, l'inconstance, l'étonnent et le conduisent à s'interroger, à méditer sans cesse. Sur le « mourir », par exemple, à quoi il faut toujours penser, contrairement à ce que font beaucoup de gens, mais qu'il ne faut jamais craindre si l'on veut, dans la vie, « aller un pas en avant, sans fiebvre » (I, 20, 84, A). Sur la force de l'imagination. Sur le poids de la coutume, capable partout de transformer les plus étranges absurdités en règles révérées de conduite morale et politique (I, 23). Sur les dangers d'une éducation qui privilégie la mémoire et qui ne cultive pas le jugement, seul « outil » pourtant qui puisse permettre à l'homme de tendre à la sagesse (I, 26). Sur le caractère prétendument sauvage de ces cannibales, qui ne sont barbares que parce que « chacun appelle barbarie ce qui n'est pas de son usage » (I, 31, 205, A) et qui, en fait, ont la vertu plus vive, l'intelligence plus créatrice que celles de ces Européens, dont la civilisation, cruelle et corruptrice, a déjà contaminé leur primitive pureté. Sur le caractère illusoire de la liberté individuelle : « Nous n'allons pas ; on nous emporte, comme les choses qui flottent... » (II, 1, 333, A). Sur notre conscience qui nous trahit souvent, en dépit de nos efforts pour dissimuler (II, 5). Sur la vertu qui, parce qu'elle est une création de la volonté, a plus de prix que la bonté, don de la nature, mais qui peut être, aussi, comme celle de Montaigne, vertu accidentelle et fortuite, ennemie jurée de la cruauté (II, 11).

Plusieurs thèmes, donc, dans les *Essais* de 1580 : plusieurs thèmes traités à plusieurs voix. Sénèque, Lucrèce, Plutarque, le Cicéron de la philosophie morale, tous les auteurs, dont Montaigne est curieux de « connoistre l'ame et les naïfs jugemens » (II, 10, 415, A) y parlent à travers lui. Autant, sinon plus que lui, qui, alors, *essaie* surtout les discours d'autrui. Mais qui, en voyant si ces discours étrangers se peuvent « maintenir en authorité » (II, 8, 388, A), en faisant l'épreuve de leur validité, *essaie*, aussi, son propre jugement, exercice auquel, dit-il, il « emploie toute sorte d'occasion » (I, 50, 301, A).

Au fil de ces chapitres de l'édition de 1580 — où se découvrent les visages variés de la vie — s'esquisse la prise de conscience personnelle par Montaigne de sa vision du monde et de l'homme. Un monde qui n'est « que variété et dissemblance » (II, 2, 339, A), dans lequel règne souvent « l'inconstance du bransle divers de la fortune » (I, 34, 220, A). Un homme « miserable animal » (I, 30, 200, A) qui, pour son malheur, s'ingénie « par art et par estude » à se gâcher ses plaisirs les plus purs. Et un Montaigne, emporté par l'incontrôlable vertige d'une époque où l'individu s'efface, s'annule dans la masse engluante de l'histoire collective, un Montaigne qui se demande : « Que sais-je ? », « Qui suis-je ? »

CHAPITRE III

L' « APOLOGIE DE RAIMOND SEBOND »

Un texte énigmatique

L' « Apologie » est, à coup sûr, le plus difficile de tous les chapitres, celui sur lequel la critique n'a cessé de se pencher, avec passion parfois. De fait, tout pose problème dans ce texte où — ce n'est pas là petite particularité — se lisent les deux tiers des sentences peintes sur les travées de la « librairie ».

Le titre, d'abord : « Apologie de Raimond Sebond ». « Apologie », c'est-à-dire éloge, défense de ce théologien du xve siècle, dont Montaigne avait traduit la *Theologia naturalis*. Dans cet ouvrage apologétique, Sebond, à une époque de « décadence et fin du monde », pleine « d'une sombre mélancolie » (J. Huizinga), avait voulu étayer la croyance de ses lecteurs, en les invitant à « accommoder » au service de leur foi « les utilz naturels et humains » que Dieu leur avait donnés : leur intelligence, leur raison. Ainsi, pensait Sebond, pourraient-ils, dans une plus juste vision d'eux-mêmes, retrouver, à partir de la description des merveilles du Livre de la Nature, la pleine conscience de leur grandeur native, de leur « beauté première ». Or, dans l' « Apologie », Montaigne, après avoir loué l'enseignement religieux — au demeurant, tout à fait traditionnel — du catholique Sebond, en vient très vite aux arguments philosophiques mis en œuvre par le théologien. Ces arguments reposent tous sur le postulat anthropocentrique de la prééminence, dans « l'échelle de nature », de l'homme, créature privilégiée ; et sur le principe, présenté comme un axiome, que « de deux propositions contradictoires et présumées invérifiables » (A. Tournon) l'homme est tenu « d'accepter, d'affirmer et croire celle-là qui luy apporte plus d'utilité, de commodité, de perfection et de dignité, en tant qu'il est homme ». Indiscutablement, dans l' « Apologie », Montaigne refuse le postulat, n'hésite pas à renverser l'échelle de Sebond et, pour dénoncer la dérisoire présomption de l'homme, développe un « long registre » d' « esmerveillables » histoires d'animaux remarquablement doués d'une efficace « ratiocination » : « discours » bien propre à mettre en évidence, avec la caution supplémentaire de l'*Ecclesiaste*, que « despourveu de la grace et cognoissance divine » (II, 12, 449, A), l'homme n'est, ny au dessus, ny au dessoubs du reste » (II, 12, 459, A). De même, Montaigne rejette, comme de nature à vicier radicalement le jugement humain, le principe que Sebond avait érigé en règle, d'assentiment obligatoire, en cas « d'ignorance », à la proposition profitable et utile. Singulière « Apologie », où le plaidoyer commencé tourne court pour faire place à la prise de distance. Aussi comprend-on que la plupart des commentateurs la tiennent, pour le moins, pour paradoxale.

Comment donc Montaigne a-t-il été amené à présenter comme une défense un chapitre où il s'éloigne de la doctrine de Sebond sur des points essentiels (pas sur tous, en vérité, car Sebond recourait aussi à la foi en ce qui concerne les mystères proprement dits et dénonçait l'orgueil qui poussait l'homme à refuser de se soumettre au Créateur) ? C'est ici qu'apparaît la grande Dame, à laquelle, sans la désigner nommément, Montaigne s'adresse, à peu près aux deux tiers de l' « Apologie » : « Vous pour qui j'ay pris la peine d'estendre un si long corps contre ma coustume... » (II, 12, 557, A). L'identité de la dédicataire (ou de la « narrataire ») reste mystérieuse, mais l'on estime généralement que l'apostrophe est faite à Marguerite de Valois, la catholique épouse d'Henri de Navarre. Nous savons par les *Mémoires* de la princesse qu'elle avait, pendant sa captivité, lu la *Théologie naturelle*, livre qui, vers 1550, avait déjà retenu l'attention d'Eléonor d'Autriche et qu'admiraient « notamment les dames » (II, 12, 440, A). D'autre part, selon P. Villey, il y avait, à la Cour de Navarre, « des gens pour juger que Raymond Sebon avait bien mal réussi dans son dessein de prouver les vérités de la foi par les seules lumières de la raison » et « un rationalisme antichrétien allant jusqu'à l'athéisme et l'épicurisme se propageait à la faveur des guerres de religion parmi les lettrés et dans certains milieux mondains ». Dans un tel climat, en un temps de vive foi, mais aussi — F. Berriot l'a montré dans sa thèse *Athéismes et athéistes en France au XVIe siècle* —, de « véritable crise dans les mentalités et dans le comportement religieux », il n'est pas invraisemblable de penser que, désireuse de défendre « son » Sebond contre ceux qui (chrétiens trop exclusivement fidéistes, ou libertins irréligieux ne jurant que par la seule raison) l'attaquaient vivement dans son entourage, Marguerite ait fait appel au traducteur de Sebond, avec lequel elle était entrée en relations directes durant l'hiver 1578-1579. D'où le titre d' « Apologie » qui répondait aux vœux et aux intentions de la princesse. Tout comme au désir de Montaigne d'obéir fidèlement à l'ancien — mais toujours valable — commandement de son père, qui l'avait requis de défendre la *Théologie*, en la faisant française.

Un double éclairage : la « structure d'essai » et le « nouvel ordre du discours apologétique »

Reste que le titre n'est, semble-t-il, pas justifié par l'ensemble du chapitre, où Montaigne déclare d'abord convaincants, les arguments de Sebond, puis, changeant de point de vue, partant de la misère de « l'homme seul, sans secours estranger », en arrive à invalider la raison humaine de ses présomptueux pouvoirs. Pour tenter d'expliquer cette construction du chapitre, surprenante à première vue, la critique admet d'ordinaire l'idée d'un long étalement chronologique dans la rédaction de l' « Apologie » dont nous ne savons, pour dire vrai, ni quand ni comment Montaigne la composa. La comparaison entre l'homme et les animaux, toute nourrie d'emprunts aux *Moralia* de Plutarque, traduits par Amyot, pourrait, croit-on, dater des années 1573-1575, tout comme les dissertations sur la vanité du savoir humain. Inspirés par Sextus Empiricus, l'éloge des philosophes pyrrhoniens et les développements sur « l'erreur et incertitude de l'operation des sens » auraient chance d'être contemporains des environs de 1576, époque où Montaigne fit frapper la médaille à la balance. Vers 1578-1579, enfin, Montaigne, pour s'acquitter de la tâche que lui avait confiée la princesse, aurait placé en tête du chapitre l'apologie demandée. Celle-ci se trouvait, dès lors, suivie des arguments qu'un homme au jugement libre comme celui de Montaigne, ne pouvait manquer d'opposer à la doctrine de Sebond tenue pour dogmatique : disposition « paradoxale », que le « suffisant lecteur » n'est pas trop étonné de trouver chez Montaigne. De telles hypothèses — plutôt hasardeuses — peuvent certes éclairer une genèse possible du chapitre, mais, comme le fait pertinemment remarquer A. Tournon, elles laissent entière la question de la structure logique de l'ensemble. De plus, elles font planer sur Montaigne le déplaisant soupçon de s'être livré dans la grave *Apologie* à un déconcertant « jeu de raccords, pour faire plaisir à une grande dame » (H. Wéber).

Dans ces conditions, comment peut-on, sans mettre en doute *a priori* le sérieux, la loyauté, l'honnêteté intellectuelle d'un Montaigne qui affirme détester toute forme de « mentir », essayer d'interpréter le chapitre ? Peut-être, en acceptant de le considérer tel que Montaigne l'a proposé, pour la première fois, à ses lecteurs de 1580. Comme un tout, et non comme une mosaïque de petites dissertations : sur la place de l'homme dans la création ; sur l'incapacité du savoir humain à rendre l'homme heureux et à l'assagir (ce qu'en revanche fait très bien l'ignorance) ; sur l'insuffisance de l'humaine « suffisance » à nous donner connaissance de Dieu, du monde et même de notre corps, pourtant indispensable intermédiaire de notre relation avec l'extérieur ; sur l'imperfection, enfin, de nos sens, instruments trompeurs et trompés, qui nous tiennent dans un servage honteux. Autrement dit, en percevant dans ce véritable « discours » qu'est l' « Apologie », une « structure d'essai » capable de révéler la cohérence logique du chapitre « construit sur le modèle réflexif, associant aux propos les commentaires qui les déchiffrent », « modèle propre aux écrits de Montaigne » (A. Tournon).

L' « Apologie » présente, en effet, un schéma d'ensemble en deux mouvements que sépare l'apostrophe à la princesse. Cette apostrophe — curieusement placée — culmine, au plan logique, sur la phrase bien connue — et qui divise toujours les commentateurs : « Toutesfois, en voicy assez pour ce que vous en avez à faire. » On a longtemps cru que Montaigne annonçait ainsi les quelque 70 pages qui suivent, dans l'édition originale. Il est préférable, semble-t-il, d'admettre que Montaigne fait ici référence aux développements qui précèdent. A cet endroit du texte, Montaigne considère qu'il a satisfait, autant qu'il le pouvait, à la requête de son interlocutrice, qu'il lui a fourni de quoi répondre victorieusement aux deux « reprehensions » opposées à Sebond. Les « fidéistes » déploraient que Sebond eût fait la part trop belle à la raison par rapport à la foi. Que la princesse leur fasse entendre, avec douceur, la défense proposée par Montaigne. Qu'elle reconnaisse avec eux que « c'est la foy qui embrasse vivement et certainement les hauts mysteres de nostre Religion » (II, 12, 441, A) ; qu'elle leur accorde que, pour être en sa pleine dignité et splendeur, cette foi doit « entrer chez nous par une infusion extraordinaire » *(ibid.)*, mais qu'elle leur fasse admettre que « nostre cœur et nostre ame estant regie et commandée par la foy, c'est raison qu'elle tire au service de son dessein toutes noz autres pieces selon leur portée » (II, 12, 446, A). Toutes nos autres pièces, et d'abord cette raison qu'à bon droit Sebond voulait faire servir de complément, d'auxiliaire modestement humain, à l'illumination de la grâce divine. Quant aux outrecuidants « rationalistes » qui trouvaient les arguments de Sebond « foibles et ineptes à verifier ce qu'il veut », que la princesse les « secoue », les traite sans ménagement. En se servant des armes prises dans la réponse que, « pour Sebond », Montaigne a faite à cette deuxième objection : de quel illusoire privilège se prévalent ces « nouveaux docteurs » pour juger de façon aussi téméraire les idées de Sebond, alors qu'en vérité, l'homme ne sait rien, ne saura jamais rien par ses seules ressources ?

On le voit : Montaigne s'est mis à la place de Sebond, auquel il n'a, d'ailleurs, opposé aucune contre-argumentation ; mais, à l'usage de la destinataire, il a déplacé le point d'appui de l'argumentation pour la rendre plus « propre à la saison » (C. Blum). Au XVe siècle, à la suite de l'apologétique traditionnelle, Sebond avait, sans préjudice pour la foi, recouru à la « raison », pour prouver un certain nombre de dogmes. Au temps de la destinataire, le principal danger vient de ceux qui donnent des droits exorbitants, injustifiés, à la raison seule. Cette raison, dit Montaigne, doit se soumettre à l'autorité de Dieu. Soumission qui est, proprement, la foi, laquelle n'exclut pas la raison (comme le pensaient les stricts fidéistes), mais l'inclut, en tant que moyen de « saisir le motif de la foi », cette foi qui est attente ouverte de la grâce sans l'aide de laquelle (on reconnaît là l'influence de saint Augustin) rien n'est possible à l'homme. Arrivé à ce point de son apologie, Montaigne s'arrête cependant : pour avertir la princesse qu'il vaudrait mieux qu'elle employât, pour défendre Sebond, ses arguments habituels et non ceux — trop rudes — que Montaigne a mis à sa disposition contre les rationalistes. Une telle charge contre la raison humaine ne pourrait manquer, en effet, d'atteindre Sebond par ricochet, même si ce n'est pas lui que Montaigne a visé. Plus grave encore : cette dénonciation radicale qui secoue « les limites et dernieres clostures des sciences » (II, 12, 558, A) peut dangereusement mettre en cause les fondements mêmes du savoir et ceux de la croyance traditionnelle, puisque se trouvent récusées les preuves logiques de l'existance de Dieu. Que la princesse s'écarte donc d'une voie aussi « extravagante » ; qu'elle ne recoure à « ce dernier tour d'escrime icy » qu'à « l'extreme necessité » : pour empêcher que ne s'étende la contagion de cette peste du rationalisme irreligieux qui « se respand tous les jours » autour d'elle. Montaigne opère ici un retour critique sur ce qu'il a jusqu'à présent avancé pour la défense de Sebond. Il a, d'abord, justifié les intentions du théologien, répété fidèlement après lui que « le ciel, la terre, les elemans, nostre corps et nostre ame, toutes choses conspirent à notre croyance », « qu'elles nous instruisent, si nous sommes capables d'entendre » (II, 12, 447, A).

Ensuite, il s'est séparé de Sebond : pour rabattre l'orgueil des rationalistes de son époque, il a, dans une diatribe serrée, démontré que, dépouillés de tous les faux prestiges que nous prête un délirant anthropomorphisme, nous n'étions pas « capables d'entendre », que toute certitude était interdite à l'homme réduit à lui-même. Conscient du caractère paradoxal de son apologie — à la fois loyale et possiblement destructrice — Montaigne s'interroge désormais, médite sur l'étrange méthode qu'il a suivie et qu'il va commenter. Méthode qui est celle du pyrrhonisme, d'un pyrrhonisme qu'il découvre en lui-même, à travers sa « volubilité » (II, 12, 569, A), dans ses multiples mises « en doubte » des diverses opinions étrangères, dont il dénonce, avec une vive passion polémique, les aventureuses contradictions. S'il a procédé comme il l'a fait dans l'« Apologie », louant Sebond sans approuver ses « presuppositions », opposant les unes aux autres les thèses dogmatiques sans aboutir à une doctrine définie, critiquant lui-même son propre discours, c'est qu'il est, lui, Montaigne, à la manière de Pyrrhon, un philosophe de l'incertitude et de la recherche, d'une recherche active, où l'âme « se fermit » et s'assure dans son estat » le plus « tranquille ».

Le pyrrhonisme de Montaigne

L'« Apologie » est toute marquée de l'influence des *Hypotyposes pyrrhoniennes* de Sextus Empiricus (vers 200 av. J.-C.). Montaigne les a lues, sans doute, dans l'édition gréco-latine de 1569, où il trouvait, avec une *Vie de Pyrrhon*, un exposé précis par Sextus Empiricus des principes du scepticisme et des différences entre les écoles sceptiques. Ces écoles, il les a présentées, une première fois dans la partie de l'« Apologie » qui précède l'apostrophe à la princesse. Face aux « dogmatistes » (« Péripateticiens, Epicuriens, Stoïciens et autres »), parmi ceux qui « font expresse profession de dubitation et d'ignorance » (II, 12, 506, A), il situe séparément, suivant Sextus Empiricus, les probabilistes de la Nouvelle Académie et les pyrrhoniens. Les premiers (Carnéade, Clitomaque) ont, dans le sillage d'Arcésilas, proposé un savoir indécis et, finalement, désespéré d'une quête dont ils affirmaient qu'elle dépassait les moyens humains : assertion excessive qui ne fait pas d'eux, aux yeux de Montaigne, de véritables sceptiques. Seuls méritent ce nom les pyrrhoniens, « le plus sage party des philosophes » (II, 15, 612, A), dont « la profession est de branler, douter, et enquerir, ne s'asseurer de rien, de rien ne se respondre » (II, 12, 502, A) et qui « par cete extremité de doute qui se secoue soy-mesme... se separent et se divisent de plusieurs opinions, de celles mesmes, qui ont maintenu en plusieurs façons le doute et l'ignorance » (II, 12, 503, A). Chez eux, Montaigne admire « céte assiete de... jugement droite et inflexible, recevant tous objectz sans application et consentement, qui les achemine à leur ataraxie, qui est une condition de vie paisible, rassise, exempte des agitations que nous recevons par l'impression de l'opinion et science que nous pensons avoir des choses » *(ibid.)*. Et c'est encore cette attitude d'ataraxie pyrrhonienne qu'il trouve la meilleure, à l'occasion de la nouvelle présentation — plus nuancée — qu'il fait des trois « genres » de la philosophie ancienne dans la partie de l'*Apologie* suivant l'apostrophe : « la plus seure assiete de nostre entendement et la plus heureuse, ce seroit celle là, où il [notre jugement] se maintiendroit rassis, droit, inflexible, sans bransle et sans agitation » (II, 12, 562, A). Aussi est-ce le pyrrhonisme qu'il choisit comme mode de pensée et comme méthode de vie. « Philosophie de l'apparence pure » (M. Conche), le pyrrhonisme permet à Montaigne de prendre en compte, lorsqu'il pose le problème de la connaissance, « l'incertitude de nostre jugement » (I, 50, 281, A), « incertitude, que chacun sent en soy » (II, 12, 563, A). Le pyrrhonisme dissipe ainsi en lui les illusions de la certitude, mais, comme il ne le plonge pas dans les affres de « l'irresolution infinie » (II, 12, 561, A) il lui assure la « tranquillité » de l'esprit qui, avec celle du corps, constitue « le souverain bien » (II, 12, 488, A). Dès lors, Montaigne peut ressembler à ce Pyrrhon tel qu'il l'imagine, dont le portrait domine l' « Apologie ». L' « indifférence » de Pyrrhon n'avait, en effet, rien à voir avec l'insensibilité. Dans son renoncement à establir la vérité, Pyrrhon avait voulu, au contraire, « se faire homme vivant discourant et raisonnant, jouissant de tous plaisirs et commoditez naturelles, embesoignant et se servant de toutes ses pieces corporelles et spirituelles » (II, 12, 505, A). De même, le pyrrhonisme ne fait pas de Montaigne une « pierre » ou une « souche ». Philosophie de la recherche, zététique, le pyrrhonisme le conduit plutôt à pratiquer, dans la suspension première du jugement et dans l'interrogation préalable, dans les aveux sans cesse répétés de son ignorance, une inlassable quête d'idées toujours neuves : exploration dont les acquis doivent, certes, être toujours tenus pour provisoires, mais où Montaigne peut exprimer, sans jamais les présenter comme des vérités absolues, les opinions, les croyances, les « advertissements » (II, 6, 371, A) auxquels, dans sa vision prismatique des choses, il tient de toute la force de ses convictions personnelles.

On a longtemps parlé d'une « crise sceptique » de Montaigne, dont l' « Apologie » aurait été la manifestation la plus éclatante. Sans que l'on se soit toujours vraiment interrogé sur le concept de scepticisme, sur ce qu'est le « scepticisme » de Montaigne. Devant ce monde, dont il dira plus tard qu'il n'est qu'une « branloire perenne », un balancement perpétuel, Montaigne ne reste pas toujours incertain et flottant :

aucun flou, par exemple, dans ses idées sur l'éducation, sur la médecine et les médecins. En fait, c'est d'un pyrrhonisme personnel qu'il se réclame, d'un pyrrhonisme de réaction contre le prétendu bien-fondé des assertions péremptoires, d'un pyrrhonisme qui fait de l' « Apologie » une œuvre de combat contre tous les dogmatismes. Il y a « doute » chez Montaigne, c'est-à-dire dessein délibéré d'essayer les opinions, de les « mettre à l'épreuve, en question, à la question » (M. Conche), mais cette volonté de « passer par l'estamine » (I, 26, 151, A), de tenir au départ pour suspectes les réponses dites définitives des doctrines d'autorité, n'est pas le résultat d'une crise « sceptique » passagère. Elle apparaît, au contraire, comme un trait fondamental et permanent de l'esprit de Montaigne. Plusieurs des chapitres que P. Villey date des environs de 1572, portent indiscutablement la marque d'un esprit sainement enquêteur. Dans « De la coustume... » (I, 23), le premier grand chapitre méthodologique aux yeux de l'abbé Gierczyński, Montaigne collectionne, pour les faire se critiquer les unes par les autres, les mœurs et les opinions les plus diverses et conclut sur la relativité de la morale dans la mesure où elle se fonde sur la seule coutume. Postérieur, mais de peu, semble-t-il, le chapitre II, 3, « Coustume de l'isle de Cea » commence par :

« Si philosopher c'est douter, comme ilz disent, à plus forte raison, niaiser et fantastiquer, comme je fais, doit estre doubter. Car c'est aux apprentifs à enquerir et à debatre et au cathedrant de resoudre » (350, A).

Déjà donc, Montaigne enquiert et débat. Attitude mentale des plus profitables. Loin de paralyser la pensée, elle la libère. Elle permet à Montaigne, qui se sépare ici du pyrrhonisme originel (lequel concluait à l'impossibilité de tout jugement, de toute inclination) de juger en raison, avec sa raison critique, sans qu'il ait, pour autant, à croire que la raison humaine, « util souple, contournable et accommodable à toute figure » (II, 12, 539, A) soit toujours et en tout homme ce qu'elle devrait être : le guide prudent et sûr d'une conduite ordonnée. Pour lui, il pense faire de sa raison un usage positif quand, à la façon des Pyrrhoniens, dans le sentiment qu'il n'y a pas d'essence ni de vérité absolue de l'homme et, que des choses — toujours sous le pouvoir du temps — nous ne voyons que les apparences, il s'exerce à mettre en doute les connaissances humaines reçues « par authorité » profane et « à crédit » (II, 12, 539, A), les pseudoévidences de tous les jours. L'effort qu'il fait pour enquêter sur les opinions d'autrui donne l'élan à sa pensée personnelle, soucieuse de se conduire avec justesse et de tendre ainsi vers des connaissances, si relatives et si précaires qu'elles soient. Il l'autorise à avancer son propre jugement qu'il a essayé, à le proposer, de façon convaincante, pour ce qu'il vaut. A condition de le faire par manière d'essai, sans réclamer la moindre autorité dogmatique pour ses opinions qui n'engagent que lui, qui n'ont d'autre mérite que d'être sincèrement siennes, celles d'un homme qui cherche, qui ne prétend pas savoir, mais qui — précieux apport du pyrrhonisme — a découvert que, dans un monde inconstant et inconsistant, les données de sa conscience avaient, elles, une réelle et solide existence. Grâce auxquelles, sans régenter le moins du monde, il dit « librement *son* avis de toutes choses... pour faire cognoistre la mesure de *sa* veue, non la mesure des choses » (II, 10, 410, A). Ainsi, dans le domaine des « polices et des lois » (II, 12, 502, A), où, parce qu' « il y a grand doute s'il se peut trouver evident profit » à changer une loi reçue ou à ébranler, fut-ce partiellement, une « police bien instituée » (I, 23, 119, A), il recommande de « suivre les façons et formes reçeues ».

Conformisme qui n'a rien de cet étroit conservatisme misonéiste que l'on a souvent reproché à

Montaigne. En effet, à la fin du chapitre, Montaigne, non seulement admet qu'il est des circonstances où les lois doivent faire quelque place à la fortune, mais, surtout, il reprend la louange accordée par Plutarque à Flaminius (à partir de 1582, ce nom sera changé en *Philopoemen*) qui « sçavoit non seulement commander selon les loix, mais aus lois mesme, quand la necessité le commandoit ». Reconnaissance des droits de la conscience privée, des mérites de l'appréciation personnelle, que le pyrrhonisme particulier de Montaigne avait contribué à mettre en valeur dans son esprit.

Pyrrhonisme et fidéisme

Frieda S. Brown a montré le lien entre le conformisme politique de Montaigne et la profession de foi religieuse traditionnelle qu'il fait dans les *Essais* et notamment dans l' « Apologie » : des deux côtés, la même défiance envers les « nouvelletez » génératrices des plus grands désordres. Dans l' « Apologie », se multiplient les protestations de foi chrétienne, d'une foi qu'il faut vivre dans le cadre de l'Eglise établie. Quiconque « se destourne ou escarte de la voye tracée et batue par l'Esglise... se perd, s'embarrasse et s'entrave, tournoyant et flotant dans cette mer vaste, trouble, et ondoyante des opinions humaines sans bride et sans arrest » (II, 12, 520, A). Affirmations sincères ? On en a douté. Sainte-Beuve, Armaingaud, André Gide, Léon Brunschwig, Maurice Weiler ont soutenu la thèse d'un Montaigne incrédule. L'abbé Gierczyński considère les *Essais* comme « un mélange étrange de sincérité et d'hypocrisie » ; il tient le « scepticisme » gnoséologique de Montaigne pour radical et universel, n'exceptant rien, pas même la religion, « tout entière, dit-il, faite de mensonges, d'illusions et d'impostures », dans la présentation que Montaigne en donne. En face, et parmi d'autres, Strowski, Villey, l'abbé Dréano, le chanoine

Muller, Marc Citoleux, le P. Sclafert, Donald Frame croient, avec quelques nuances, à la sincérité religieuse de Montaigne. La polémique reste ouverte comme Montaigne devait s'y attendre : « Il n'est nul sens ni visage... que l'esprit humain ne trouve aux escrits, qu'il entreprend de fouiller » (II, 12, 585, A).

Essayons de nous en tenir aux écrits, en évitant, si possible, de les solliciter. Montaigne fait, dans l'*Apologie*, le féroce procès des contradictions auxquelles aboutit l' « imbecile » raison humaine. Ce qui ne lui est pas raison pour renoncer à l'investigation, à l'enquête sur tout ce qui s'offre à sa réflexion. Sa recherche, cependant, exclut tout à fait les choses divines dont la connaissance, pense-t-il, excède infiniment nos moyens humains, ne se conçoit qu'avec la grâce et la foi. Hors de notre portée, plus encore que toute autre vérité, cette vérité absolue « de laquelle il a pleu à la sacro-saincte bonté de Dieu de nous illuminer » (II, 12, 441, A). D'où le fidéisme dont Montaigne fait profession et où il ne semble pas juste de ne voir qu'un commode manteau sous lequel se dissimuleraient de hardies idées anti-religieuses. Ce fidéisme, qui distingue les deux vérités, celle de la foi et celle de la raison, s'en remettant à la première, tout en laissant libre cours à l'exercice de la seconde, va de pair avec le doute pyrrhonien de Montaigne sur les capacités de la raison humaine à découvrir les critères de la vérité et, *a fortiori*, de la vérité transcendente. Que ce fidéisme ait, comme le pense A. Tournon, servi de « caution religieuse » à Montaigne dans « *son* refus de faire acte d'allégeance envers l'une ou l'autre des sectes théologiques et des coteries politiques qui *armaient* ses contemporains », il se peut. Sans que nous devions nécessairement en conclure que le « preudhomme » Montaigne a éprouvé le besoin de rechercher une telle caution. Il professait, il pratiquait le catholicisme : aux yeux de tous, sans que personne, de son temps, ait douté de la sincérité de son comportement. Comme tant d'autres chrétiens convaincus du XVIᵉ siècle, qui n'étaient pas forcément confrontés au problème de l'engagement, il a pu, peut-être pour se défendre lui-même des dangereux raisonnements des rationalistes, peut-être pour satisfaire sa sensibilité religieuse, se réclamer du fidéisme. Son livre est un livre de bonne foi. Son fidéisme est aussi un fidéisme de bonne foi, celui de quelqu'un qui sait que « l'homme ne peut voir que de ses yeux, ny saisir que de ses prises » mais qui ne doute pas que cet homme « s'eslevera si Dieu lui preste *extraordinerement* la main », ... *divine et miraculeuse metamorphose* (II, 12, 604, A-C).

CHAPITRE IV

UNE TRIPLE EXPÉRIENCE :
LE VOYAGE, LA MAIRIE, LA PESTE

Le voyage en Italie

Les *Essais* de 1580 furent un succès. Cette « faveur publique » surprit assurément Montaigne qui avait publié son livre à compte d'auteur. Mais, comme il l'écrira plus tard, elle lui donna « un peu plus de hardiesse qu'il n'esperoit » (III, 9, 964, B). De fait, le 22 juin 1580, il s'enhardit au point d'offrir à Henri III un exemplaire, qui fut — si nous en croyons La Croix du Maine — fort apprécié. Ce n'est cependant pas dans le seul but de faire hommage au roi de ses *Essais* que Montaigne avait quitté son château le 12 juin. A cheval, en fort bel équipage, accompagné de son frère cadet, M. de Mattecoulon, et de son beau-frère, M. de Cazalis, suivi d'un secrétaire et de domestiques, avec des mulets qui portaient son bagage, ses *Essais* et sa « boîte », il était parti pour un plus grand voyage ; moins long sans doute que celui qu'il eût — s'il avait été totalement libre — voulu faire par terre vers Cracovie ou vers la Grèce, mais qui, toutefois, allait le conduire, pendant quelque dix-sept mois, à travers la France de l'Est, la Suisse, l'Allemagne et l'Italie. Ce voyage, Montaigne ne le commencera qu'en septembre 1580 : après avoir conduit à Soissons la dépouille mortelle de son ami, le comte Philibert de Gramont, époux de la belle Corisande, tué au « siege de velours » de La Fère, auquel il avait lui-même participé. De Soissons, il vient à Beaumont-sur-Oise, où le rejoignent, pour être du voyage, le jeune Charles d'Estissac, fils de la grande dame à qui Montaigne avait dédié son chapitre « De l'affection des peres aux enfants » et petit-neveu du bienveillant protecteur de Rabelais, ainsi qu'un gentilhomme barrois, M. de Hautoy.

Pourquoi Montaigne entreprend-il un tel voyage que l'on a parfois (mais à tort, semble-t-il) cru motivé par quelque mission diplomatique préparant une éventuelle nomination du gentilhomme Montaigne comme ambassadeur à Venise ? Sans doute, veut-il aller soigner sa douloureuse et inquiétante gravelle dans les villes d'eaux réputées d'Allemagne, de Suisse et d'Italie. Sans doute, aussi, éprouve-t-il le besoin de s'évader, de se détacher de son pays malade, de se détourner du fastidieux gouvernement de sa maison, « d'ôter de son existence le poids monotone et les ennuis du quotidien » (Fr. Jou-kovsky). Tout autant qu'une marche vers la santé qu'il désire recouvrer, le voyage est une fuite : en partant, Montaigne confie au temps et à l'espace le soin de le soustraire à tout ce qui le foule en ces années grises, dans ce royaume pitoyablement privé de « paix publique » (I, 23, 120, B). Symbole, à ses yeux, de mouvement spatial et temporel, le voyage doit, pense-t-il, lui permettre de préserver une liberté, qui lui est plus précieuse que tout. Sans doute, enfin, Montaigne cherche-t-il, dans cet instrument péda-gogique de choix, le plaisant moyen de satisfaire sa curiosité, d'enrichir son moi d'homme et d'individu, à travers les découvertes de « la différence » (Cl. Blum), qu'il va faire à l'occasion de ses rapports avec les choses et avec les êtres.

Ce que fut ce voyage — souvent, mais non exclusivement thermal — nous le savons d'après les notes consignées dans ce que nous appelons communément le *Journal de voyage* dont Fausta Garavini nous a procuré, en 1983, une excellente édition, remarquablement introduite. La première partie de la relation (environ 45 % a-t-elle été dictée (à la troisième personne) par Montaigne à son secrétaire ? Fausta Garavini exclut cette hypothèse : pour elle, nous avons là une rédaction autonome, où le *je* du secrétaire apparaît, à l'évidence, sous le « il » du récit. L'autre partie a été rédigée par Montaigne lui-même, lorsqu'il eut « donné congé » à son secrétaire, et qu'il emploie alors le « Je » le désignant. Le début du texte est écrit en français par le secrétaire, puis par Montaigne. Celui-ci s'essaie ensuite à s'exprimer en italien : avec bonheur, car, en dépit de ce qu'en ont dit la plupart des commentateurs, « Montaigne écrit un italien littéraire non seulement correct, mais souvent élégant et précis » (F. Garavini). Et il revient au français, lorsqu'au retour, il a passé « la montée du mont-Cenis ».

Le *Journal de voyage* n'était pas destiné à être publié. Abandonné dans un coffre du château de Montaigne, le manuscrit — aujourd'hui perdu — y fut oublié, pendant près de deux siècles, jusqu'à la découverte qu'en fit, par hasard, en 1770, l'abbé Prunis. En 1774, Meusnier de Querlon l'édita, sous trois formats. Entre temps, quatre copies avaient été prises du document, dont une seule, la copie dite de Leydet, a été localisée dans le fonds Périgord de la Bibliothèque nationale de Paris et présentée par François Moureau : version mutilée dont « l'apport essentiel... réside dans les ajouts et les variantes significatives qu'elle apporte... à la Vulgate du *Journal de voyage* ».

Le *Journal* permet de connaître exactement l'itinéraire suivi par Montaigne et par ses compagnons.

Parti de Beaumont et de Meaux, traversant la Brie, la Champagne, la Lorraine et l'Alsace (partie française de l'itinéraire que Meusnier de Querlon a le tort de trouver sans intérêt) puis la Suisse et l'Allemagne du Sud, le petit groupe arrive en Italie par le Brenner. Dans la péninsule, Montaigne visite notamment Vérone, avec ses arènes de quelque 20 000 places et les « braves sepultures des pauvres seigneurs » les Scaliger ; Padoue (voir E. Balmas, *Montaigne a Padova*, 1962) ; la libre Venise, où il ne trouve pas « cette fameuse beauté qu'on attribue aux dames » de la « ville assise en la mer » ; Rovigo, patrie de « ce bon Celius qui s'en surnomma Rodoginus » ; Ferrare, Florence — qui le déçoit d'abord — et, bien entendu, Rome, avant de faire avec piété le pèlerinage de Lorette et de prendre longuement les eaux aux bains della Villa, près de Lucques.

Quels sont les centres d'intérêt du voyageur ? Au cours de ses étapes en des lieux si divers, Montaigne mentionne avec soin tous les détails qu'il observe autour de lui : les différentes façons de manger, de boire, de servir à table, de se coucher et les mille marques, qui le fascinent, de l'ingéniosité technique de l'homme. Il aime aller voir les monuments anciens, les « antiquités », dont il constate avec regret qu'il ne reste presque rien à Pise. Il recopie des inscriptions, parfois peu lisibles ; il essaie de les dater. Il se plaît à conférer avec les « gens de sçavoir » qu'il rencontre. Ainsi, à Epernay, puis à Rome, avec le jésuite Maldonat ; à Bâle, avec les médecins Félix Platter et Théodore Zwinger, le théologien Johann Jacob Gryneus (à moins qu'il ne s'agisse de l'un de ses parents, Samuel ou Simon), le jurisconsulte calviniste François Hotman. A Venise, il achète les œuvres de Nicolas de Cues ; à Padoue, il admire un portrait de Bembo ; à Ferrare, il s'arrête, dans une église, devant « l'effigie de l'Aritoste un peu plus plein de visage qu'il n'est en ses livres ». Lors de son premier séjour à Rome (c'est lui, alors, qui a pris la plume), il s'extasie devant les trésors de la Bibliothèque vaticane, où il note qu'il a pu entrer « sans nulle difficulté ». Pendant que la censure papale s'exerce sur ses *Essais*, il « dispute », sans obstination, avec Muret et d'autres savants, des mérites — grands à ses yeux — de la traduction française de Plutarque par Amyot. Ou bien, il s'attarde, mais sans le moindre commentaire, sur une séance d'exorcisme. Ou encore, il s'étonne, « en liberté de conscience », des pratiques de dévotion toutes cérémonieuses des courtisanes romaines. Amusé ici, intrigué là, mais toujours retenu par l'infinie variété des opinions, des coutumes, des comportements particuliers, qui le confirme dans l'idée que tout ce qui touche à l'homme est relatif. Et l'incline de plus en plus à la prudence et à la modération à l'endroit de cet Autre, avec lequel il doit, sans jamais aliéner sa propre personnalité, poursuivre inlassablement le plus compréhensif des dialogues.

Une tradition tenace présente le Montaigne du *Journal* comme indifférent à la beauté des sites et des œuvres d'art. Il est vrai que ses impressions ne sont pas celles d'un touriste qui aimerait la splendeur des paysages : ainsi, dans les Alpes, il ne note que la facilité ou la difficulté du passage, sans admirer ce qu'il a sous les yeux. Ni celles d'un véritable amateur d'art : lui qui a visité tant d'églises, vu tant de peintures, ne cite même pas les noms de Raphaël ou de Léonard de Vinci. Dans un tableau, l'intéresse plus le sujet (s'il a trait à l'homme) que la manière de l'artiste. Montaigne, cependant, était trop sensible à la beauté (celle des corps, bien sûr, mais aussi la beauté sous toutes ses formes) pour ne pas être « aucunement frappé de sa douceur » (II, 17, 639, A) La sculpture, l'architecture retiennent son attention et les passages abondent dans le *Journal* où s'exprime l'appréciation esthétique, que ce soit devant les 18 très belles effigies de bronze des princes et princesses de la maison d'Autriche à la Hofkirche d'Innsbrück, ou devant la place de Sienne, « la plus belle qu'on voie dans aucune ville d'Italie », ou encore devant les merveilleux jardins de la villa Gambara à Bagnaia, avec leurs mélodieuses fontaines, leurs lacs, leur jet d'eau en forme de pyramide, leurs très belles allées. Beauté prenante des statues et des lieux, qui exalte l'âme du voyageur et la réjouit, tout comme l'afflige et l'attriste le consternant spectacle des ruines de Rome, non pas ruines, mais sépulcre d'un corps jadis admirable, puis brisé par ses ennemis et aujourd'hui enseveli sans que rien ou presque de sa grandeur passée apparaisse encore qui puisse « tumber sous les sens ».

Ainsi, comme les *Essais* écrits pour un public, le *Journal*, document privé, « arrière-boutique des *Essais* (P. Michel), nous révèle la personnalité de Montaigne qu'il nous aide à mieux comprendre. Sans doute, comme l'a fait remarquer Craig B. Brush, ne trouvons-nous, dans le *Journal*, ni cet étalage de culture, ni ce miroitement d'images, ni ces gauloiseries qui caractérisent les *Essais* et ajoutent à leur prix. Mais, dans l'un comme dans l'autre texte, c'est le même Montaigne qui parle, qui se peint, qui se cherche, toujours un, le même Montaigne, qui, dans le livre et dans la réalité qu'il « lit comme un livre », nous montre en action l'inlassable train vivant de son enquêteuse pensée.

La Mairie et la réédition des « Essais »

L'intermède italien — qui devait si fortement marquer la sensibilité de Montaigne — se serait vraisemblablement prolongé, si, le 7 septembre 1581, aux bains della Villa, Montaigne n'avait reçu « par la voie de Rome, des lettres... écrites de Bordeaux le 2 août ». Elles l'avisaient qu'il avait été, la veille, « élu d'un consentement unanime » maire de la

Ville. Il lui fallut donc renoncer à voir l'Italie du Sud et prendre le chemin d'un nonchalant retour. A son arrivée dans son château, le 30 novembre 1581, il trouve une lettre assez comminatoire du roi qui, si elle ne lui ôte pas ses regrets, lève ses hésitations, des hésitations dont — curieusement — il ne dit mot dans le *Journal*, mais qu'il confiera plus tard à ses lecteurs dans les *Essais* (III, 10). Henri III lui « ordonne et enjoint bien expressement que sans delai ni excuse » il prenne la charge où il a été, « sans brigue et en *sa* lointaine absence », « si legitimement appelé » ; et il ajoute qu'en acceptant, Montaigne fera chose qui sera très agréable à son souverain, tandis que « le contraire lui deplairait grandement ». Ainsi Montaigne sera maire de Bordeaux, comme l'avait été son père, dont le mandat avait pris fin un quart de siècle auparavant, en 1556. Au xvie siècle, la charge de maire d'une grande ville comme Bordeaux est moins administrative que représentative et politique. Personnalité choisie en dehors des jurats qui constituent le conseil de la ville, le maire parle au nom de la jurade et de la ville devant les autorités extérieures ; il est aussi le mandataire du pouvoir royal devant les jurats et la ville, qu'il doit maintenir dans l'obéissance au souverain légitime. La fonction réclame donc de l'autorité, de la droiture, de la modération, de l'impartialité. C'étaient là qualités volontiers reconnues à Montaigne qui fut, sans doute, comme le pense Donald Frame, souhaité pour maire parce que les jurats — et peut-être, au dessus d'eux, d'importants personnages, comme le marquis de Trans — le tenaient pour un excellent négociateur, capable d'assurer au mieux en Guyenne le difficile équilibre entre le roi, la Ligue et les protestants, et de régler, sans trop de heurts, d'éventuels conflits.

Le mandat municipal de Montaigne devait s'achever le 31 juillet 1583. Montaigne l'exerça dans une grande tranquillité, si l'on néglige quelques explosions de violence sans conséquences graves. Il travaille de conserve avec le maréchal de Matignon, lieutenant général d'Henri de Navarre en Guyenne, soucieux comme lui d'ordre, de tolérance et de paix. Le 26 janvier 1582, il installe la Chambre de Justice que le roi de France a déléguée en Guyenne pour juger en son nom les affaires où les Réformés sont partie. Il se fait de nombreux amis parmi les éminents juristes de cette Chambre et c'est à lui qu'Antoine Loisel enverra, le 1er novembre 1582, avec une dédicace flatteuse, le discours de clôture de la session bordelaise.

Entre temps, Montaigne a préparé la seconde édition de ses *Essais*, que lui réclamait son éditeur Millanges. Les « *Essais* » *de Messire Michel seigneur de Montaigne, chevalier de l'ordre du Roy, et Gentillhomme ordinaire de sa Chambre, Maire et Gouverneur de Bourdeaus*, parurent en 1582. Cette « édition seconde », dont Marcel Françon nous a procuré une utile reproduction photographique, se présente comme « revue et corrigée ». En fait, les différences avec l'édition originale de 1580 ne sont pas quantitativement importantes et elles portent, pour la plupart, la marque du voyage en Italie. En dehors de huit citations latines et d'une cinquantaine d'additions plus ou moins étendues, apparaissent en 1582 neuf citations italiennes ainsi que sept ajouts relatifs à l'Italie, dont, dans l'*Apologie de Raimond Sebond* (où se placent les apports nouveaux les plus nombreux) l'évocation de la folie du Tasse, que Montaigne, avec plus « de despit encore que de compassion », avait vu « en si piteux estat » à Ferrare (II, 12, 492).

Relativement rares, les additions de 1582 n'en sont pas moins significatives. A preuve la déclaration que Montaigne introduit au début du chapitre « Des Prieres » (I, 56) :

« Je propose icy des fantasies informes et irresolues, comme ceux qui publient des questions doubteuses à debattre aus escoles, non pour establir la verité, mais pour la chercher : et les soubmetz au jugement de ceux, à qui il touche de regler non seulement mes actions et mes escris, mais encore mes pensées. Esgalement m'en sera acceptable et utile la condemnation, comme l'approbation. Et pourtant me remettant toujours à l'authorité de leur censure, qui peut tout sur moy, je me mesle ainsin temerairement à toute sorte de propos... »

Satisfaction sincèrement donnée par l'auteur au Maestro del Sacro Palazzo qui avait examiné les *Essais* l'année précédente ; auquel il refuse, cependant, de sacrifier quelques passages trop licencieux et l'emploi du mot « Fortune ». Tant il est vrai qu'il en est pour l'esprit de Montaigne comme pour l'esprit humain.

« On la [*sic*] bride — dit une autre addition de 1582 — et garrote de religions, de loix, de coustumes, de sciance, de preceptes, de peines et recompanses mortelles et immortelles : encores voit on que par sa volubilité et sa desbauche, il eschappe à toutes ces liaisons » (II, 12, 559).

Les *Essais* de 1580 et de 1582 furent — La Croix du Maine l'atteste dans sa *Bibliothèque* de 1584 — « bien reçus de tous hommes de Lettres », parmi lesquels le fameux Juste Lipse qui, en 1583, salue avec enthousiasme le « Thallès gallique », dont il trouve les *Essais* fort à son goût. Et il n'est pas interdit de croire que cette flatteuse « réception » incita Montaigne à donner en 1584 (mais la chose n'est pas sûre) une nouvelle édition des *Essais*, publiée peut-être à Rouen et aujourd'hui perdue ; plus certainement à reprendre son livre, à le compléter : dans la mesure où « le maniement des affaires » municipales allait lui en laisser le loisir.

Le 1er août 1583, il avait, en effet, été réélu pour deux ans maire de Bordeaux. Honneur insigne, tout à fait exceptionnel, qu'il semble avoir, cette fois, accepté sans rechigner. Avec fierté même. Sans pressentir, sans doute, que les choses allaient bientôt s'aigrir et que son second mandat aurait à se dérouler dans les soucis et les dangers. Plus encore qu'une douzaine d'années auparavant, Montaigne se trouve « assis dans le moiau de tout le trouble des guerres civiles » (II, 6, 373, A). La ville de Bordeaux, dont il est le maire, et la province tout entière sont placées dans des conditions administratives et politiques telles, qu'à la moindre complication la tâche de ceux qui y commandent devient pratiquement impossible. La Guyenne relève, en effet, de la couronne de France, mais le gouverneur, au moins nominal, en est le roi de Navarre, dont le lieutenant — qui exerce la réalité de ses fonctions — est désigné par le roi de France. Aussi, lorsque la Ligue est recréée en 1584, à la mort d'Alençon, la situation apparaît vite comme inextricable. Le rapprochement esquissé entre Henri III et son héritier présomptif, le roi de Navarre, n'a pas résisté à la montée des passions. A Bordeaux, Matignon, lieutenant gouverneur pour le compte d'Henri de Navarre, manœuvre contre le Béarnais. Henri III va lancer contre Navarre les forces des Ligueurs qui, en fait, ne travaillent que pour eux-mêmes. Dans ces « brouillis », Montaigne garde un parfait loyalisme envers le roi légitime ; sans laisser s'altérer ses bonnes relations avec Navarre, qu'il reçoit somptueusement dans son château en décembre 1584 ; sans mépriser les avances que lui fait le publiciste réformé Du Plessis-Mornay. Il n'a, comme il l'écrira plus tard, « qu'à conserver et durer, qui sont effects sourds et insensibles » (III, 10, 1023, B) ; il y emploie une activité méritoire contre les entreprises des Ligueurs et de leur chef, Vaillac, le guisard gouverneur du Château-Trompette. Se déclarant prêt, ainsi qu'il l'assure dans une lettre du 22 mai 1585 à Matignon, occupé alors à reprendre possession d'Agen et qui l'a laissé seul commander dans Bordeaux, à faire, « s'il en est besoin », sacrifice de sa « vie pour conserver toute chose en l'obeissance du Roi ». Tâche difficile, alors que la ville était déchirée par les factions, menacée dans son approvisionnement par les pirateries de Brouage, en juin 1585. Dans une situation si mouvante, si chaotique, il eût été irresponsable de la part du premier magistrat de la ville de se laisser aller à des choix personnels trop tranchés, dont la mise en œuvre n'eût pas manqué de rendre plus lamentable encore la vie de ses « concitadins ». « Hors le neud du debat », Montaigne sut, avec une intelligente et juste fermeté, se maintenir « en equanimité et pure indifference » (III, 10, B, 1012). On s'est interrogé sur le sens de cette expression : « le nœud du débat. » Désigne-t-elle le problème religieux ou, comme le croit Géralde Nakam, « le principe de légitimité monarchique et la loi de succession au trône » ? On peut admettre que s'y trouvent réunis ces deux aspects d'une même question, que les circonstances avaient liés. Montaigne, maire de Bordeaux, ne transigea ni avec ses convictions de catholique modéré, ni avec ses devoirs d'obéissance au roi légitime et d'exact respect de la loi salique. Du reste, il ne voulut se troubler ; il avait trop à travailler.

Son second mandat s'achève alors que, fuyant la peste, il se trouve, fin juillet 1585, à Libourne, puis à Feuillas. C'est de là qu'il écrit aux jurats des lettres qui ne furent publiées qu'au XIXe siècle et qui ont longtemps déchaîné des orages de critique. Il assure ses correspondants qu'il n'épargnera ni vie ni autre chose pour leur service. Mais il leur demande s'ils pensent vraiment que ce service exige sa présence à Bordeaux, où la peste sévit toujours. On a jugé avec sévérité cette attitude de Montaigne, que personne parmi ses contemporains ne lui a pourtant reprochée. Valait-il la peine qu'il se hasardât pour une simple cérémonie d'installation et de remise de clefs ? On peut en douter. Montaigne en douta. Lui, qui avait fait preuve de tant de dévouement, d'humanité, d'esprit de justice dans son double mandat, tenait sa magistrature pour achevée. Sans doute, eût-il été héroïque de rentrer à Bordeaux, mais cet inutile et ostentatoire héroïsme eût certainement sonné faux pour celui qui détestait les « montres » et les masques. Il le refusa donc et rentra dans son château.

Malgré la guerre et la peste, le livre

Roger Trinquet nous a renseignés sur ce que furent les activités de l'écrivain après la mairie de Bordeaux. Montaigne a retrouvé sa tour, ses livres et sa plume ; il a repris son projet de coudre un « troisiesme allongeail » (III, 9, 963, B) aux deux premiers livres des *Essais*, et de le marquer de l'expérience acquise depuis 1580. Le voyage lui avait montré, dans l'agréable compagnie des autres, la diversité de la condition humaine, lui avait fait découvrir qu'on peut vivre également heureux avec des coutumes différentes, coutumes qui, à ses yeux, ne forçaient plus « tous les coups, les reigles de nature » (I, 23, 109, A). A Bordeaux, pendant sa mairie, il avait constaté le caractère « farcesque » de la plupart des « vacations humaines », appris qu'avant de vivre pour les autres et afin de mieux vivre pour les autres, on avait le droit et le devoir de vivre pour soi, de vivre en soi. De ces enseignements, il veut désormais nourrir le livre qu'il continue à écrire chez lui, alors que la guerre fait rage dans le Périgord, que les picoreurs sévissent dans les alentours du château, qu'à peu de distance de là le duc de Mayenne met, en juillet 1586, le siège devant Castillon-la-Bataille. Plus que l'encerclement, c'est la peste qui, au début de septembre, viendra à bout de la cité, aussitôt livrée aux exactions des troupes royales. C'est elle aussi qui, jusqu'en mars 1587, va chasser Montaigne et les siens de chez eux : « famille esgarée », pitoyable « caravane » (III, 12, 1048, B), en quête

— souvent vaine — d'un abri, d'une hospitalière maison amie. Dans l'épreuve, Montaigne ressent vivement « la peine d'autruy » ; contre la sienne, il oppose ses « preservatifs » habituels : la fermeté, la constance, cette « resolution » dont l'exemple des simples paysans victimes de la peste lui apprend qu'elle vaut, aussi, devant la mort. Quand il rentre chez lui, il trouve son château intact, mais ses champs et ses vignes ravagés. Qu'à cela ne tienne : dans un courageux mépris des choses fortuites, il reprend le chapitre « De la physionomie » là où il l'avait laissé, six mois auparavant, lorsqu'il avait dû quitter son château. Il donne les derniers soins à la nouvelle édition des deux premiers livres des *Essais* qui va paraître, sans indication de quantième, à Paris, cette fois, chez Jean Richer et qui reproduit celle de 1582, avec un système parfois différent d'orthographe, d'accentuation, de ponctuation. Bientôt sera achevé le troisième livre, qu'il ira faire éditer à Paris, où, après un périlleux voyage de quelque six semaines à cheval, il arrive, malade, vers la fin de février 1588.

Chapitre V

« CE TROISIESME ALLONGEAIL
DU RESTE DES PIECES
DE MA PEINTURE »

L'édition de 1588

Vraiment belle, l'édition de trois livres des « *Essais de Michel seigneur de Montaigne* » que publie, en 1588, avec privilège du roi, le libraire parisien Abel L'Angelier. Le format in-4° en est différent de celui des éditions in-8° de 1580 et 1582, ainsi que de celui de l'édition in-12° de 1587, mais la présentation matérielle reste la même que dans les éditions antérieures des deux premiers livres : massive, compacte. A la seule et surprenante exception du chapitre « De l'incertitude de nostre jugement » (I, 47) divisé, depuis 1580, en six paragraphes, les autres chapitres des trois livres sont imprimés d'un seul tenant. Les blancs ménagés dans les pages sont dus à la présence soit de dédicaces (I, 26 ; II, 8 ; II, 37), soit de citations en vers. Du vivant de Montaigne, les *Essais* ne sont pas encore découpés, « mis en pièces » (B. Croquette), comme ils le seront, de façon arbitraire et fâcheuse, à partir de l'édition du protestant Pierre Coste (Londres, 1724), la première parue en français depuis la mise à l'index des *Essais* en 1676.

L'édition de 1588, « augmentée du troisiesme livre et de six cens additions aux deux premiers » (en fait 641 additions importantes et 543 citations nouvelles), est présentée par son titre-frontispice comme la cinquième, alors que nous ne connaissons d'éditions antérieures que celles de 1580, 1582, 1587. Sans doute, pourrait-on penser à une erreur de l'imprimeur qui aurait écrit « cinquiesme » au lieu de « quatriesme ». Mais l'hypothèse perd toute vraisemblance, lorsque l'on remarque que Montaigne lui-même, préparant une nouvelle édition entre 1588 et 1592, barre « cinquiesme » sur la page de titre de son exemplaire de 1588 et, de sa main, au-dessus de la devise également manuscrite *Viresque acquirit eundo*, écrit « sixième », à l'intention de son futur éditeur. Le mystère subsiste. Il n'est cependant pas interdit de penser qu'une édition — peut-être celle qui, selon La Croix du Maine, aurait été « imprimée à Rouen » « et autres divers lieux » — a été perdue, comme nous ont été, vraisemblablement, dérobés d'autres écrits de Montaigne, dont Malcolm C. Smith nous a fourni, récemment, une liste fort instructive.

Sur un curieux petit chapitre

Outre les ajouts aux deux premiers livres, l'édition de 1588 offre donc au lecteur, sans préface, un « troisiesme allongeail » de treize chapitres nouveaux, composés les uns entre 1584 — peut-être même plus tôt — et juillet 1586, les autres, entre mars 1587 et février 1588. Rien ne prouve que — comme l'a pensé M. Butor — ces chapitres, « piliers ou panneaux de la troisième galerie » (G. Nakam) soient issus d'additions aux deux livres antérieurs qui, en raison de leur longueur, auraient été rédigées sur des feuilles intercalaires. Il est probable qu'il y a eu, en même temps, élaboration des chapitres du troisième livre et interpolations dans le texte toujours ouvert, toujours modifiable des livres I et II.

Au milieu de ce troisième livre qui déconcerta, semble-t-il, à sa publication et pour lequel l'admiration est unanime aujourd'hui, le petit chapitre « De l'incommodité de la grandeur » « nettement moins long qu'un seul des ajouts d'un seul tenant insérés dans l' "Apologie" » et dépourvu de toute citation (particularité qu'il partage curieusement avec les deux autres chapitres centraux : I, 29 et II, 19). La critique avait, jusqu'à ces derniers temps, déploré l'indigence de ce chapitre monologiste, qualifié d'importun, tenu pour « le point-mort d'un chef-d'œuvre » (J. Parkin), où Montaigne reprend, sans le développer, un sujet paradoxal déjà abordé dans les chapitres I, 42, « De l'inequalité qui est entre nous » et II, 19, « De la liberté de conscience ». André Tournon a voulu, voici peu, justifier la place privilégiée accordée dans le troisième livre à ce chapitre injustement mal-aimé. S'y profilerait, en arrière-plan, l'idée fondamentale de *La Servitude volontaire*. Faute d'avoir pu faire figurer l'ouvrage de son ami au centre du premier livre, Montaigne aurait inscrit au centre du troisième des considérations qui en sont l'écho direct. Ainsi, à leur place marchande, les pages du chapitre III, 7, assurant, par leur concision voulue, « une fonction analogue à celle d'une devise... », désignent, selon A. Tournon, « le point de convergence des déclarations d'indépendance dispersées dans les autres chapitres (I, 3, 8, 9, 10, 12) ». Eclairage ingénieux, convaincant, qui — même si le troisième livre, très homogène et tout tendu vers le chapitre final, n'a pas de véritable centre — a le mérite de nous faire découvrir, en son milieu, une de ces marques profondes (sur lesquelles insiste avec raison François Rigolot) que la mort de La Boétie a laissées sur le texte des *Essais*.

Rappels, Reprises et « Muances »

De part et d'autre de ce chapitre III, 7, les chapitres, si différents les uns des autres du troisième livre, sont placés d'une manière sur laquelle il est légitime de s'interroger. En effet, si Montaigne parle volontiers de la « farcisseure », de l' « embrouilleure » (III, 9, 994-995, B), qui donnent à chacun de ses essais sa structure interne si particulière, il n'a jamais lui-même, dans aucun des trois livres, modifié l'ordre de ses chapitres, considéré, sans doute, par lui, comme le meilleur pour l'exposition de ses « songes et resveries ».

De quoi est-il question, par exemple, au début du troisième livre ? De l'utile et de l'honnête, dans le parénétique chapitre III, 1 : question largement discutée par les philosophes antiques, renouvelée par Machiavel et devenue thème central de réflexions répétées au temps perverti des guerres civiles. Du repentir, dans le chapitre III, 2, où se trouve abordé le problème de la doctrine de la pénitence, qui était au cœur des préoccupations des Réformés et sur lequel avait largement débattu le Concile de Trente. Dans les deux chapitres, un même sujet pris de deux « biais » différents : le choix — qui importe beaucoup à Montaigne — à faire, en conscience, entre l'utile et l'honnête. Les théologiens du Concile de Trente avaient trouvé l'attrition « utile ». Montaigne, qui, dans le chapitre III, 1, avait déjà opté pour l'honnête au plan politique, poursuit dans le chapitre III, 2, le même plaidoyer, au plan religieux cette fois. Affirmant sa fidélité à lui-même, il distingue le véritable et durable repentir, la contrition parfaite, affaire de l'extraordinaire grâce divine et non des « propres moyens » humains (II, 12, 604, A) et, tout à fait différente, l'attrition, « cette repentance superficielle, moyenne et de ceremonie » (III, 2, 813, B). De « l'honnête », il est encore question dans le sinueux et gaillard chapitre III, 5, « Sur des vers de Virgile », reprise du thème de l'honnête et de l'utile dans le domaine des relations sexuelles ; dans le kaléidoscopique et si prenant chapitre III, 6, « Des coches », où l'on passe de la prétendue infériorité des femmes, bien commode pour les hommes (III, 5), à la proclamée supériorité des Indiens, qu'il est ni utile, ni honnête, d'asservir et de massacrer « pour la negotiation des perles et du poivre » (III, 6, 910, B).

Sans que Montaigne ait toujours eu un souci très exigeant de lier ses chapitres, les parentés ne manquent donc pas entre les premiers chapitres du troisième livre. Ni, d'ailleurs, entre les derniers. Comme l'a montré A. Tournon, le chapitre III, 8, « De l'art de conferer », art ordonné de raisonner et art de se battre sans complaisance avec le raisonnement, « développe en termes positifs l'argument capital de III, 7 : l'agôn, présenté dans l'un comme mode privilégié de relations, reçoit, dans l'autre, les règles requises par sa finalité philosophique, qui est d'*esclaircir les esprits* ». Quant au passage du chapitre 9 (« De la vanité ») au chapitre 10 (« De mesnager sa volonté ») il marque — de façon assez exceptionnelle — une articulation très nette du livre. Enfin, les chapitres 11, 12, 13 offrent, tous trois, des variations sur le double thème, devenu majeur ici, de la dangereuse et vaine suffisance de nos esprits boiteux, chasseurs de sorcières (pauvres créatures, plutôt justiciables des médecins que des juges) et de la naturelle sagesse des « simples » et de Socrate.

Un « récit » à une seule voix

Mais l'intérêt principal de ce troisième livre ne réside pas dans cette contexture librement concertée des « ruminations » de Montaigne, dont les reprises, après la pause qui suit chaque chapitre, donnent un nouvel élan à la pensée, ouvrent une voie neuve à une expérience toujours fraîche qui va s'inscrire dans un nouveau coup d'essai. Il tient, d'abord, au contenu même du livre, à l'affirmation de son objet-sujet : le « moi », non seulement le « moi » psychologique de l'introspection, mais un « je » agissant, jugeant, écrivant. Un « moi » qui, cherchant toujours à se conquérir, s'exerce sans cesse. A travers les images de sa vie privée, Montaigne nous révèle ses goûts (les melons, les sauces, la conversation des hommes d'élite — qui ne sont ni sots ni pédants, avec qui l'on peut mener un loyal débat en forme — le « doux commerce... des belles et honnestes femmes »), ses dégoûts et ses déplaisirs (les salades, les fruits, les coupes de métal, la fumée, le « long serain », les mines rébarbatives). Mais il nous fait part aussi de ses habitudes, devenues invétérées, de ses convictions intellectuelles et politiques, de ses exigences morales, de ses incertitudes d'homme qui se cherche en se disant. Il nous livre sa méditation philosophique sur l'histoire naturelle des civilisations ; il nous entraîne par les généreux mouvements de sa satire de la politique coloniale de l'Occident chrétien et de la politique intérieure de la royauté française (III, 6). Il nous entretient de ses lectures ; de ses voyages où il a lu le monde et s'y est découvert « autre » (A. Regosin) ; de son livre qu'il relit sans cesse ; de ses deux mandats à la mairie de Bordeaux. Il nous confie comment il se comporte devant les passions, de quelle manière il « donne passage » aux maladies et dans quel état d'esprit, se sentant vieux, sans l'être vraiment, il accueille l'idée de l'inéluctable fin. Une seule voix domine désormais : celle de Montaigne qui, délaissant la modestie dont il usait dans les deux premiers livres, parle de lui. De lui qui, en quête d'une identité comprenant « la différence et le devenir » (A. Compagnon), « s'estudie plus qu'autre subject » (III, 13, 1072, B), qui se « recite » (III, 2, 804, B), dans un dessein descriptif et non pas normatif. Dans les *Essais* de 1580, dont lui-même confesse que certains « puent un peu à l'estranger » (III, 5, 875, B), il « pillotait » ses sources, « *naviguant* au plus près de ses citations qui étaient comme des Isles heureuses » (Alain). Voulait-il s'armer contre la crainte de la mort, il puisait volontiers dans les livres, « aux despens de Seneca », d'Horace, de Lucrèce, faisant du chapitre I, 20, dans une mise en scène à plusieurs voix (L. D. Kritzman), un véritable « dialogue des morts » (M. Fumaroli), sur la mort. Cherchait-il quelque consolation pour lui ou pour un autre, il l'empruntait d'abord de Cicéron. Sans passive servilité assurément, mais sans avoir toujours l'audace d'affirmer, comme il le fait, pourtant, dès le chapitre « De l'exercitation » : « Ce n'est pas ici ma doctrine, c'est mon estude ; et ce n'est pas la leçon d'autruy, c'est la mienne » (II, 6, 377, A). Maintenant, s'il continue d'emprunter, il ne se contente plus de « cette suffisance relative et mendiée » d'autrefois (I, 25, 138, B). Le projet de représentation du moi, déjà indiqué en 1580, dans les chapitres I, 8 (que l'on a pu même considérer comme une préface primitive aux *Essais*), I, 26, II, 8, II, 10 et surtout II, 17, est devenu exclusif, totalement prépondérant dans le troisième livre : « Autant que la bienseance me le permet, je faicts icy sentir mes inclinations et affections... Si on y regarde, on trouvera que j'ay tout dict, ou tout designé » (III, 9, 983, B).

Tout ce qui touche au moi a droit à une place dans les *Essais*, lieu parfaitement ouvert à la libre expression de la diversité dans une plus grande indépendance de la pensée de Montaigne, et de son écriture, où les éléments s'ordonnent moins les uns par rapport aux autres que par rapport au moi. Les références que Montaigne fait à une pensée étrangère ne servent pas tant de point de départ à un examen des réponses d'opinions contenues dans les discours dominants, que d'assurance, pour lui, qu'il est devenu pleinement capable de parler en son propre nom, à sa manière personnelle, sur un sujet de son « invention » ; de commenter lui-même son thème, d'en faire l'essai avec son jugement à lui, comme il avait été amené à le faire, de façon particulièrement réussie, dans l' « Apologie », chapitre charnière ou coupure, à partir duquel change la problématique des *Essais*.

Le jugement en son « siège magistral »

Dans le troisième livre, Montaigne s'investit totalement, se prend pour seul sujet possible d'étude, pour thème réel et unique de ce qu'il écrit. Il ne vise nullement l'homme en général. Si, par-delà les différences, « chaque homme porte la forme entière de l'humaine condition » (III, 2, 805, B), il ne s'agit là que de « condition » de statut de l'homme soumis dans son existence à « tous accidens humains » ; et non d'essence, ni de nature humaine, cette « somme de qualités dont la nature a doué l'homme » (Buffon). Il « *s'entretient luy mesme* » (III, 5, 876, B), « *se* hante et *se connoit* », tout étonné de sa « difformité », convaincu qu'il n'a « veu monstre et miracle au monde plus expres que *luy-mesme* » (III, 11, 1029, B). Et ce « subject », il « le quicte pour voir du moyen de le traicter », non « pas moyen scholastique et artiste », mais « moyen naturel d'un sain entendement » (III, 8, 926, B). Autrement dit, Montaigne s'interroge non seulement sur les réponses que fournissent les autres, sur les réponses qu'il propose lui-même aux questions suscitées par l'enquête, mais aussi sur les conditions dans lesquelles s'effectue, au cours de l'enquête, l'acte de jugement. Cette pratique spéculaire du moi, qui se présente et se regarde à la fois, témoigne de la modification de la « visée ». Il s'agit de passer (sans y renoncer absolument) de l'énonciation critique des opinions diverses sur la variable

« verité » des choses, à la réflexion personnelle, prudente, ordonnée, rigoureuse, sur les mécanismes de la pensée des choses. « Nous sommes sur la maniere, non sur la matiere du dire » (III, 8, 928, B). Ses « arguments », Montaigne les prendrait volontiers « sur une mouche » (III, 5, 876, B), puisqu'ils ne sont désormais que de propices occasions d'exercer toujours plus le jugement, de faire « une belle course » (III, 8, 928, B) dans la quête consciencieuse, non pas de cette vérité qu'il n'appartient qu'à une plus grande puissance — celle de Dieu — de posséder, mais de ces connaissances vers lesquelles l'homme peut tendre, sans outrecuidante présomption.

Cette conscience du moi qui se juge en train de penser et d'écrire est assurément nouvelle. Non qu'avant Montaigne des auteurs n'aient, eux aussi, réfléchi sur leur œuvre, mais ils la considéraient d'ordinaire dans son achèvement. Montaigne, lui, « analyse » son livre en même temps qu'il le compose. Il soumet son énonciation à une critique serrée, sans concession, où lui-même « sonde » son esprit et l' « employe à part *soy* » (I, 10, 40, B), dans le « contrerolle » qu'il présente de « divers et muables accidens et d'imaginations irresolues. Et quand il y eschet, contraires » (III, 2, 805, B).

Digressions et contradictions

De là, dans cette peinture complète et complexe, mais toujours fidèle d'un moi mouvant, les multiples méditations de Montaigne sur son livre, qui ne sont des digressions qu'en apparence. En effet, faire retour sur l'œuvre, c'est par la même occasion réfléchir sur l'homme qui la fait, à travers laquelle et par laquelle il se fait, grâce à laquelle encore, dans « cette longue attention qu'*il* employe à *se* considerer » il parvient à « juger aussi passablement des autres » (III, 13, 1076, B). De là, également, les fréquentes contradictions, notées dans leurs singularités concrètes, que livrent les données dispersées de l'autoportrait. Ces contradictions, Montaigne ne les nie pas, tout en faisant remarquer qu'elles ne mettent pas en cause sa sincérité : « Tant y a, que je me contredis bien à l'adventure, Mais la verité, comme disoit Demades, je ne la contredy point » (III, 2, 805, B). Elles se trouvent, d'ailleurs, au cœur même de la personnalité de Montaigne, esprit mobile et capricieux, véritable Protée que le « vent des accidens remue selon son inclination » et qui « en outre *se* remue et trouble *soy mesme* par l'instabilité de *sa* posture » (II, 1, 335, B) : tantôt très confiant en ses propres capacités, se sentant bien supérieur à la société de son temps qu'il juge, moralement et intellectuellement, décadente ; tantôt d'humeur mélancolique (II, 12, 566, A) — même s'il se dit plutôt « songecreux » (I, 20, 87, A) — insatisfait, incapable de s'établir tout entier en lui-même. Protée, et aussi Narcisse, s'aimant et se savourant, mais ayant besoin du regard d'un Autre pour se plaire pleinement à l'image de soi-même. Ces contradictions tiennent, d'autre part, au projet qu'a Montaigne de se représenter en perpétuel devenir, de peindre non « l'estre », mais le « passage » (III, 2, 805, B) ; du moins, le passage à travers ces quelque vingt ans qu'il a mis à composer son autoportrait. Elles s'expliquent, enfin, ces contradictions, parce que l'essai passe et repasse sans cesse de la description à l'axiologie, parce que l'autoportrait est tout ensemble déchiffrement et construction, construction où il arrive que l'idéal naisse de la réalité vécue et dans laquelle Montaigne se définit moins par ce qu'il est que par ce qu'il voudrait être. Ainsi, la sérénité qu'il affiche volontiers ne nous empêche pas de voir que Montaigne était souvent un passionné, un impatient et presque toujours un inquiet. Il y avait des pulsions antagonistes dans sa personnalité, qui a, d'autre part, tout naturellement, évolué en fonction du temps, en fonction du projet. Cette évolution, Montaigne ne pouvait, ne désirait la fixer et nous aurions quelque témérité à vouloir la tracer. Sans doute y eut-il approfondissement intérieur d'une « ame... tousjours en apprentissage et en espreuve » (III, 2, 805, B), prise de conscience progressive d'une forme « sienne » et « maistresse », garante d'une certaine continuité psychologique, mais ce que nous montrent les *Essais*, c'est une réflexion sans fin, que l'écriture de Montaigne restant toujours inachevée, devenant elle-même indéfinie, voudra représenter dans sa souple et perpétuelle mobilité.

« L'alleure poetique »

A l'intérieur des chapitres, dans l'agencement des propos, aucune rigueur formelle, pas de technique codifiée. Une liberté d'allure qui, en bien ou en mal, a frappé tous les critiques, désorienté tous les lecteurs. Discontinuité avouée par l'auteur, dès les *Essais* de 1580 :

« Je n'ai point d'autre sergent de bande à ranger mes pieces que la fortune. A mesme que mes resveries se presentent, je les entasse » (II, 10, 409, A).

Et revendiquée, encore, dans le troisième livre : « J'ayme l'alleure poetique, à sauts et à gambades... Je vois au change, indiscrettement et tumultuairement » (III, 9, 994, B). Face à cette liberté d'allure que Gide goûtait tant, la critique a souvent pris deux attitudes contraires, mais également contestables. Ou l'on a voulu à toute force imposer un ordre au désordre, en s'exténuant à découvrir dans le texte un sens, un message qui en commanderait l'organisation ; ou bien l'on a prétendu, acceptant la réalité du désordre, l'expliquer par la personnalité « ondoyante et diverse » de Montaigne, par sa pensée « anarchique et informe » (R. Sayce), par l'empreinte sur l'œuvre de l'instabilité et de la confusion du monde dont elle est le témoin. A la vérité, une vue sans *a priori* des choses permet de découvrir dans les chapitres une composition peu marquée, certes, mais visible après une lecture attentive. Ainsi, la cohérence ne manque pas, même dans des chapitres souvent dits décousus, comme III, 5, « Sur des vers de Virgile » ou III, 12, « De la phisionomie », en fait remarquables exemples *di composizione concentrica* (Fausta Garavini). Pareillement, le dessein général du chapitre III, 9, « De la Vanité », où Montaigne, séduit par la « fantastique bigarrure » du *Phèdre* de Platon, ne cesse apparemment de dévier de son propos ou d'en rompre le fil, est « bien plus net qu'on ne le dit généralement » (B. Croquette). Dès l'introduction, est posé le thème « qui devroit estre soingneusement et continuellement medité par les gens d'entendement » (945, B), à savoir que, comme l'affirme l'*Ecclésiaste*, tout est vanité. La conclusion reprend ce thème : Tout est vain dans l'homme, « objet plein de mescontentement », où nous ne « voyons que misere et vanité » (1000, B). Entre l'introduction et la conclusion, le thème n'est jamais vraiment perdu de vue. Recourant à un procédé qui lui est familier, le *distinguo* (« *Distingo* est le plus universel membre de ma Logique », II, 1, 335, B), Montaigne oppose une forme aveugle et ambitieuse de vanité, qui n'est souvent que « vuide » sottise, à une autre forme, qu'il croit moins vaine (« encore ne sçay-je », avoue-t-il), celle de la vanité qui se connaît et que l'on resserre dans les limites naturelles. De la première, il instruit le procès, en accusateur. La seconde, non seulement il « l'excuse, la réhabilite » (Paul Martin), mais il la convertit paradoxalement en un style de vie et de pensée plus conforme à la condition humaine et, donc, plus juste que les sagesses normatives qui la réprouvent. De cette vanité, qui fait valoir les choses si vaines

65

soient-elles, l'homme, en « regardant dans lui », en se reconnoissant » (1001, B), doit prendre conscience qu'il est tout plein, tout « confit ». Non pour s'en dépouiller, mais pour y « ceder naturellement », dès lors qu'elle est innocente, agréable et utile. C'est ce que Montaigne a fait lui-même dans son château, en se laissant aller à la vanité d'écrire des *Essais*. « Embesoingnement oisif » (946, B), occupation basse et stérile (952, B), mais qui n'est dommageable à personne, en un siècle cruel et « desbordé », favorisant d'ailleurs « l'escrivaillerie ». Amusement vain, à coup sûr, nullement comparable aux sérieux et sévères offices d'une importante vacation, mais qui a valu à l'auteur une « louange plaisante » et dont il tire pour lui-même un « proffit inesperé » (980, B). C'est à cette même excusable vanité qu'il a consenti en faisant, sans détriment pour sa famille, avec plaisir et bénéfice pour lui, l'expérience enrichissante du voyage en Italie, couronné par le gracieux octroi de cette bulle de bourgeoisie romaine, la plus vaine des « quelques faveurs venteuses, honnoraires et titulaires » (999, B) que la libérale fortune lui avait offertes jusqu'alors. Pour le lecteur « ingénieux », qui s'applique à reconstruire la cohérence, tout se tient donc dans ce chapitre « De la Vanité » : et le séjour dans la tour et les voyages, et les réflexions sur l'état de la France qui va à vau-l'eau, et les remarques sur la « volage » et vagabonde manière de composer de l'écrivain où, légères « ses fantaisies se suyvent : mais parfois c'est de loing. Et se regardent, mais d'une veuë oblique » (994, B). Ainsi, Montaigne ne s'égare pas ou, s'il s'égare, c'est « plus tost par licence que par mesgarde » (994, B).

Son parcours — qu'il balise et jalonne, avec beaucoup de soin, de mots et d'expressions « en un coing » — est celui d'un promeneur sensible aux plaisirs et aux profits des incessantes découvertes que permet une libre excursion, où l'on peut toujours emprunter quelque sentier de traverse avant de revenir, charmé, au chemin choisi.

Montaigne a voulu — il le dira plus tard — faire les chapitres du troisième livre moins nombreux, mais plus longs que ceux des *Essais* de 1580 ; ce qui, sous « l'alleure poétique », l'a obligé à un certain souci d'organisation interne, marqué par la présence et le fonctionnement de réseaux sémantiques, par le recours — occasionnel — à des schémas rhétoriques (thèse, antithèse, synthèse, aux premières pages de III, 10), ou par l'emploi — malgré son dédain des entrelacs « de paroles, de liaison, et de cousture » (III, 9, 995, B) — de formules conclusives (à la fin de III, 9, par exemple). Sans que, pour autant, les chapitres cessent d'être — ce qu'ils sont, au contraire, devenus de plus en plus — des essais, où la continuité se trouve souvent brisée par « les structures de commentaires qui perturbent le discours » et par « les fréquents replis de la parole sur elle-même » (A. Tournon). Cette composition, déroutante, ne relève pas du caprice. Elle obéit à une logique de la recherche, de la constante mise à l'épreuve des idées exposées, dont Montaigne veut impérativement vérifier la justesse. Quand il commence un chapitre, Montaigne a, bien sûr, en tête un thème — que le titre n'indique pas toujours clairement — mais le développement de ce thème reste, jusqu'à la fin, imprévisible pour lui, qui sait qu'il « ira autant, qu'il y aura d'ancre et de papier au monde » (III, 9, 945, B). Il s'agit, en effet, d'aller, d'être en mouvement, de laisser libre course à sa pensée. Dans sa pesée critique, l'esprit « se paie » de la « varieté » et « diversité » (III, 9, 988, A) de ses « voyageres » méditations, se plaît à la description « naïve » de cette singulière personne qui, ne trouvant « point de fin en *ses* inquisitions », continue ses « poursuites... d'un mouvement irregulier, perpetuel, sans patron, et sans but » (III, 13, 1068, B).

Socrate

Si, dans sa « chasse de cognoissance », l'esprit de Montaigne, comme celui d'Apollon, va « sans patron », ce n'est pas sans référence à des « patrons » que Montaigne essaie de cerner sa personnalité. Des patrons qui ne sont pas des saints, des « ames venerables », placés par leur perfection même au-dessus de l'humaine condition, mais de grands personnages. Non pas, en vérité, Alexandre « le plus grand homme, simplement homme » (I, 20, 85, A), mais que Montaigne considère surtout comme une figure de légende. Ni même le vertueux et noble Julien, parangon pour les princes. Les modèles de vie que reconnaît Montaigne sont Caton le Jeune, à la vertu gaillarde et verte (II, 11, 424, A), Epaminondas « le plus excellent » des « plus excellens hommes » (II, 36, 756, B), Socrate surtout, mentionné 16 fois dans la couche A du texte, nommé 32 fois dans la couche B, et qui le sera 66 fois dans les additions postérieures à 1588. A Socrate — ou tout au moins à l'idée qu'il se fait du philosophe athénien — Montaigne cherche à s'identifier, en partie. P. Villey l'avait déjà suggéré ; H. Friedrich et Z. Samaras l'ont bien montré, à leur tour. Dès avant 1580, Montaigne désire être reconnu comme un « Socrate français », titre qui lui fut, d'ailleurs, accordé à Rome, le 3 mars 1581, en même temps que le droit de cité. Sans doute, Montaigne ne nie-t-il pas les différences qui le distinguent de Socrate, dont il déclarera, plus tard, fâcheuses « à digerer » les « ecstases et demoneries » (III, 13, 1115, C). Sans doute, le miroir est-il un peu faussé, Montaigne prêtant à Socrate (par exemple, son pyrrhonisme) autant qu'il lui emprunte pour son propre autoportrait. Reste que l'influence de Socrate, et sur Montaigne et sur son livre, est des plus importantes. Socrate, qui ne traita de rien « plus largement que de soy » (II, 6, 378, C) conduit Montaigne à la pratique du *gnôthi seauton*, à cette philosophie du sujet qui trouve en sa conscience et en son jugement naturel tout ce qui est nécessaire pour « bien vivre et mourir » ; à cette louange de l'ignorance savante qui se rit des discours philosophiques, de la « physique » et de la « métaphysique » ; à cette idée que la vraie beauté spirituelle peut être silénique et qu'il lui arrive d'être « cachée sous des dehors grossiers et rustiques, sous l'apparence de la bêtise, de la stupidité, etc. » (M. Baraz). Mais, plus encore, il lui offre, à lui qui cherche une justification éthique et esthétique de son existence, le meilleur des modèles : celui d'un homme qui, sans effort, « faict mouvoir son ame d'un mouvement naturel et commun » (II, 12, 1037, B), qui s'exprime en « des discours » « naïfs » et simples, ne devant rien à la culture, et qui, pourtant, incarne une grandeur non commune aux yeux de qui sait distinguer « sous une si vile forme... la noblesse et splendeur de ses conceptions admirables » *(ibid.)*. « Interprete de la simplicité naturelle » (III, 12, 1052, B), Socrate est le « bon regent », « tousjours un et pareil » (III, 12, 1037, B) dans son égalité d'âme, qui convient parfaitement à « l'uniformité et simplesse » (III, 9, 980, B) des mœurs de Montaigne, au demeurant, comme Socrate, en « disconvenance » avec son temps, mais appartenant toujours à son temps. Déjà le modèle socratique avait profondément marqué l'autoportrait du chapitre « De la praesumption » (II, 17) : de même que Socrate avait donné matière à rire aux Athéniens, parce qu'il n'avait pas su compter les suffrages de sa tribu, de même Montaigne ne sait « conter ny à get [jeton] ny à plume » (652, A). Pas plus que Socrate, il ne s'entend aux techniques des artisans, des commerçants, des paysans. A ceux qui lui demandaient ce qu'il savait, Socrate répondait qu' « il sçavoit cela, qu'il ne sçavoit rien » (II, 12, 501, A). En se reconnaissant, lui aussi, une « ame

inepte et ignorante » (652, A), Montaigne, dans l'ins-
cience avouée, s'accorde l'appréciable « rectitude
d'un jugement introspectif impartial » (J.-M. Com-
pain). Avec l'édition de 1588, l'accent est mis sur
l'idéal de vie que représente, pour Montaigne, le
train ordinaire de l'existence de Socrate, « la sou-
plesse et la spontanéité de sa vertu, sa sagesse
humaine et naturelle, qui constitue le contrepied de la
démarche toujours tendue, guindée, affectée du sage
Stoïcien » (K. Christodoulou). « Ame à divers estages »
(III, 3, 821, B), Socrate est aussi brave au combat
(III, 6, 899, B) que bon buveur, capable, malgré
sa tempérance habituelle, de « boire à lut, par devoir
de civilité » (III, 13, 1110, B). Il ne se « refuse
ny à jouer aux noysettes avec les enfants, ny à courir
avec eux sur un cheval de bois » *(ibid.)*. « Tout
vieil, il trouve le temps de se faire instruire à baller
et jouer des instruments » (III, 13, 1109, B) ; il
reste sensible (III, 5, 892, B) aux réchauffements de
l'amour qui l'*espoinçonne*. « Somme un abysme »
... d'humanité, auquel Montaigne se sent apparenté.
En Socrate, Montaigne n'a pas voulu voir le philosophe platonicien redoutable pour sa dialectique de
la définition. De son « héros » préféré, il a écarté toute
« auréole de mystère divin » ; du « Sage condamné à
mort par ceux-là mêmes qu'il voulait rendre meilleurs
et plus raisonnables », il a éludé « la tragédie intem-
porelle » (H. Friedrich). Mais il a fait de lui, à
l'échelle humaine, « le personnage à tous patrons et
formes de perfection » (III, 13, 1110, B), l'équiva-
lent humain de la diverse image des choses, le sage
qui sut « mener l'humaine vie conformément à sa
naturelle condition » (III, 2, 809, B), celui dont la
« secrette lumiere » (III, 12, 1037, B), d'abord dis-
crète, éclaire de plus en plus les *Essais*, dont elle
irradie de vive et éclatante manière les deux derniers
chapitres, « De la phisionomie » et « De l'experience ».

Le chapitre final

Le chapitre « De l'experience » est celui par lequel Montaigne a voulu clore ses *Essais*, livre de « philosophie sans doctrine », méditation critique sans cesse reprise sur le problème de la connaissance. Contrairement à d'autres, le titre paraît bien, cette fois, embrasser la matière du chapitre. Dans l' « Apologie », Montaigne avait fait le procès des théories, des doctrines ; dans le chapitre « De la ressemblance des enfans aux peres » (II, 37), celui des techniques, des pratiques, à propos de l'irrésolu « gouvernement des medecins ». Il s'en prend ici à l'expérience « le plus bas degré du savoir et, semble-t-il, le moins sujet à caution » (A. Tournon). Montaigne montre, d'abord, que l'expérience « que nous tirons des exemples estrangers », si elle donne au jugement la possibilité de se réfléchir lui-même et de découvrir sa propre relativité, ne peut, quelles que soient ses visées scientifiques et normatives, nous fournir des données sûres pour fonder des conclusions générales : le prouve bien l'exemple des lois, si souvent « fautieres ». Il passe ensuite à l'expérience individuelle, celle que chacun a de soi. Elle ne prétend pas se constituer en science. Le voudrait-elle, d'ailleurs, que l'universelle et naturelle « dissemblance » l'en empêcherait. Mais, au plan éthique — le seul qui intéresse Montaigne — elle a vraie valeur. « Elle est suffisante à nous instruire de ce qu'il nous faut », donnant au sujet la possibilité de régler, par lui-même, son propre mode de vie, de se faire sage (s'il est « bon escholier ») par le contrôle de son « interne santé » et de « se sçavoir conduire sans medecine » par le contrôle de sa santé corporelle. Au total, de bien vivre, de façon autonome, mais sans se refuser à présenter à « qui en voudra gouster » cette expérience vécue en profondeur d'une conduite de l'homme (corps et esprit) « selon sa condition ».

On comprend, dès lors, pourquoi Montaigne n'a pas donné de « suivant » au chapitre « De l'experience ». Il le remaniera, sans doute, après 1588 : parce que son projet impliquait « une poursuite sans terme » (III, 13, 1068, B), mais, si le cercle restait perpétuel et sans repos, la boucle en était bouclée. En dehors de l'expérience de soi, il n'y avait plus, pour Montaigne, de voie nouvelle à frayer vers la vérité, vers la sagesse, vers le bonheur.

CHAPITRE VI

L' « EXEMPLAIRE DE BORDEAUX »
ET LES ÉDITIONS
DE MARIE DE GOURNAY

En ce dernier décours

L'édition de 1588 parue, Montaigne ne rentre pas directement dans son château. Il séjourne quelque temps à Paris, puis il part se reposer en Picardie, chez sa « fille d'alliance », Marie de Gournay. De là, il peut facilement suivre l'actualité : tout en goûtant, avec son admiratrice, le charme des promenades et de la lecture des *Amatoriae Narrationes* de Plutarque. En octobre 1588, les Etats généraux s'assemblent à Blois. Montaigne y arrive, en novembre, sans doute : inquiet, à coup sûr, du train désordonné où vont les choses, tenté, semble-t-il, de renoncer à son rôle de spectateur passionné des malheurs de l'époque et d'aller rejoindre son ami De Thou dans cette ville de Venise où La Boétie, « *aveq raison* », « eut mieux aimé estre nay... qu'à Sarlac » (I, 28, 194, C-A). En fait, Montaigne reste en France. Est-il encore à Blois lors de l'assassinat du duc de Guise, qu'il mentionne dans son *Beuther* ? Donald Frame incline à le croire, qui pense que Montaigne quitta Blois peu après : « Probably with messages from the King to Matignon. » Dans les derniers jours de décembre, Montaigne, en tout cas, est de retour dans son château.

En Guyenne, il seconde toujours activement Matignon. Il continue à servir son roi Henri III, même si le portrait qu'il donne de lui dans les *Essais* est plutôt négatif. Le 1ᵉʳ août 1589, Henri III tombe sous le couteau fanatique de Jacques Clément. Par dérision, Paris porte son deuil en vert — couleur de la livrée des fous — et, en ville qui va donner à la Ligue « sa portée historique » (R. Descimon), ne s'empresse guère de reconnaître « le Béarnais » comme souverain légitime. Sur la notion juridique résumée dans la formule : « Le Roi est mort, vive le Roi » prévaut alors, dans les esprits échauffés par les prêches et les pamphlets, l'adage que c'est le sacre qui fait le roi. Or, Henri IV n'abjurera qu'en juillet 1593, ne sera sacré et couronné — à Chartres — que le dimanche 27 juillet 1594. Montaigne, lui, n'hésite pas, fidèle à ce qu'il avait déjà dit dans d'autres circonstances : « Les lois ... m'ont choisy party et donné un maistre » (III, 1, 795, B). Il écrit aussitôt à celui qu'il tient pour son nouveau roi. En réponse, celui-ci l'invite, le 30 novembre 1589, à venir le rejoindre à Tours pour une assemblée des notables. C'est en janvier 1590 seulement que Montaigne reçoit la missive du roi. Auquel il écrit, à nouveau, le 18 janvier : pour le féliciter de l'« heureuse issue » de la bataille d'Arques, pour l'assurer, bien sûr, de son dévouement, mais aussi, s'accordant ce rôle qu'il eût aimé tenir de sincère conseiller du prince, « pour lui recommander la clemence et la magnificence ». Pour lui confier, *in fine*, son espoir de retrouver bientôt son souverain dans un Paris pacifié. Souhait qui ne put se réaliser. Montaigne, de plus en plus gravement malade, ne devait plus quitter son château, où il mourut, en bon catholique, le 13 septembre 1592 : sans avoir pu rejoindre le prince dont il avait été jusqu'au bout le loyal serviteur et qui ne fit son entrée dans la capitale que le 22 mars 1594, huit mois après son abjuration. Le cœur de Montaigne fut recueilli dans l'église du petit village natal voisin de Saint-Michel. Son corps, transporté chez les religieux Feuillants, à Bordeaux, y fut, le 1er mai 1593, déposé dans un monument funéraire. Transféré par la suite, il repose actuellement dans le hall d'entrée de l'ancienne Faculté des Lettres de Bordeaux.

L' « Exemplaire de Bordeaux »

Durant ses dernières années, Montaigne avait connu les maux d'un corps « gasté et imbecille » (III, 13, 1089, C), mais son esprit était resté plein de vigueur et d'allégresse. Dans son château, il s'était plu aux stimulantes conversations avec ses amis, Florimond de Raemond, Pierre de Brach, Pierre Charron, Anthony Bacon, frère aîné de Francis, le futur essayiste. Dans sa « librairie », il n'avait cessé de lire : Aristote, Platon, Cicéron, saint Augustin, Diogène Laerce et Sénèque, toujours, à qui il fait de nombreux emprunts entre 1588 et 1592. Et, inlassablement, il avait repris le texte de ses *Essais* de 1588.

Perpétuel relecteur de lui-même, Montaigne, à sa mort, laissait sur sa table de travail un exemplaire personnel, non relié, de cette édition de 1588, dont il avait considérablement enrichi le texte. Sur ces bonnes feuilles, étaient consignées, entre les lignes du texte, dans les marges des pages, plus d'un millier d'additions (dont certaines très longues) et un plus grand nombre encore de menues modifications enchevêtrées, qui ne portent parfois que sur un mot biffé, corrigé, changé à nouveau, repris à l'occasion, sous sa forme initiale. Cet exemplaire — où l'on peut apprécier la scrupuleuse attention que Montaigne apportait à ses retouches — est traditionnellement désigné comme l' « Exemplaire de Bordeaux » (EB), parce qu'après avoir été la propriété des Feuillants, il est, depuis la Révolution de 1789, confié à la garde de la ville de Bordeaux, et conservé à la Bibliothèque municipale. D'après l' « Exemplaire de Bordeaux », a été publiée en 1906, par les soins de Fortunat Strowski, François Gébelin et Pierre Villey, l'édition « municipale » des *Essais*, devenue la source principale des éditions parues au xxe siècle. De l'EB, nous avons aussi plusieurs reproductions, l'une en phototypie publiée par F. Strowski, en 1912 ; une autre, typographique, donnée par Ernest Courbet (1913-1931), une troisième en fac-similé, que vient de nous procurer René Bernoulli. Sur EB apparaissent des écritures de différentes mains : dans la très grande majorité des cas, celle de Montaigne, petite, serrée, fine ; parfois celle, plus large, de Mlle de Gournay ou de quelqu'un d'autre. De différentes encres, aussi (au moins deux) plus ou moins foncées, d'après lesquelles les critiques ont tenté de dater les additions les unes par rapport aux autres.

En annotant son exemplaire — qu'il sème de ponctuations manuscrites très personnelles — Montaigne s'est ingénié, par tout un jeu de signes, à marquer avec précision les points où ses additions — parfois rattachées à leur contexte par des liens grammaticaux — devaient s'insérer dans le tissu des *Essais* : indications fort utiles pour les éditeurs du texte, qui (André Tournon l'a montré dans un article de *Bibliothèque d'Humanisme et Renaissance*, 1971) peuvent, quand même, hésiter encore, ici ou là, sur l'endroit exact où doit s'effectuer telle ou telle interpolation.

Lorsque la femme et la fille de Montaigne eurent examiné cet exemplaire si embrouillé, elles se rendirent vite compte qu'une aide compétente leur serait nécessaire, si elles voulaient livrer ces pages à l'impression. Pierre de Brach, l'ami fidèle — qui, pourtant, n'est jamais nommé dans les *Essais* — leur accorda volontiers la sienne, pour qu'une nouvelle édition pût profiter de l'inestimable apport du texte ainsi préparé par Montaigne lui-même.

Les retouches finales

Elles sont de nature différente et n'ont ni la même importance ni la même valeur : Montaigne retranche, corrige et, le plus souvent, ajoute.

Les suppressions ne sont pas très fréquentes. Il arrive que le pyrrhonien Montaigne retranche un trop affirmatif « à dire vrai » mais, d'ordinaire, la suppression ne fait qu'affecter l'un des termes d'une expression précédemment redoublée. Ailleurs, il s'agit simplement d'éviter la répétition d'un mot déjà utilisé dans le voisinage. Parfois, c'est toute une phrase qui se trouve barrée, parce que le contexte la rend inutile. Mais, plus fréquemment, à un mot biffé, à une phrase rayée, Montaigne substitue une autre expression, un autre développement. La suppression devient, alors, correction véritable.

Bon nombre de ces corrections concernent le vocabulaire. Elles font disparaître — sans qu'il y ait de la part de Montaigne, pratique constante — des mots qui devenaient désuets *(ains, meshuy)* ou dont l'acception s'était restreinte :

« Aymant aussi cher ne rien dire qui vaille, que de montrer estre venu *premedité* [C : preparé] pour bien dire » (III, 9, 963, B).

Ou bien, elles visent à une plus grande exactitude. Au chapitre I, 14 le texte de 1580 portait : « Et de ces viles ames de bouffons, il s'en est trouvé qui n'ont voulu abandonner leur mestier eu la mort mesme. » La variante manuscrite trouve un mot moins vague que *mestier* : « ... leur *gaudisserie* en la mort mesme » (p. 52). D'autres corrections de vocabulaire vont dans le sens de la recherche d'un pittoresque accru : en III, 13, p. 1078, la « race de gens » de 1588 fait place à une « *canaille* de gens » ; ou, p. 1114, « cette *marmaille* d'hommes » est substituée à « cette voirie d'hommes ». A côté de ces corrections portant sur des mots, il en est, enfin,

qui tendent à proposer une tournure moins lourde :
« Je ne presume les vices qu'apres que je les ay
veux » (III, 9, 953, B) devient ainsi : « ... qu'apres
les avoir veux. »

Un même souci stylistique se manifeste dans les
additions. Certaines contribuent à éclairer le sens
d'une expression : « [A] Mais les belles ames, ce
sont les ames ouvertes et prestes à tout [C] *si non
instruites, au moins instruisables* » (II, 17, 652) ;
ou à mieux marquer une symétrie : [B] Or je tiens
qu'il faut vivre par droict et par auctorité, non
par [C] *recompance ny* par [B] grace » (III, 9, 966) ;
ou, encore, à gagner en manière d'écrire concrète
et imagée :

« [B] Il faut laisser un peu de place à la desloyauté, ou impru-
dence de vostre valet : S'il nous reste en gros, de quoy faire
nostre effect, cet excez de la liberalité de la fortune, laissons le un peu
plus courre à sa mercy, [C] *la portion du glaneur* » (III, 9, 953).

L'ensemble des additions occupe une place impres-
sionnante dans les *Essais*, même dans les chapitres
pourtant plus tardifs du troisième livre : ainsi au
chapitre IX, « De la Vanité », elles représentent
plus du quart du texte définitif. Une bonne part de
ces additions est faite de citations, « amas de fleurs
estrangeres », dont Montaigne se « charge de plus
fort tous les jours » (III, 12, 1055, C). Le chapitre
« De l'experience » comportait dans le texte de 1588
30 citations dont 27 en vers (25 en latin ; 2 en
français, empruntées à La Boétie et à Jacques
Amyot). Les 27 citations, toutes latines, ajoutées
entre 1588 et 1592, renversent la proportion, en
faveur de la prose (21 passages). S'y marque, comme
dans les additions de III, 9, la préférence de Montaigne, non plus pour les historiens, mais pour les
philosophes latins, Sénèque et ce Cicéron, dont il
avait trouvé la lecture lassante jusqu'en 1588, mais
qu'une correction de C mettra à la place du divin
Platon dans la phrase : « J'aymerois mieux m'en-

tendre bien en moy qu'en *Ciceron* » (III, 13, 1073).
En dehors de ces citations et des multiples « rappels
de lectures » (E. Lablénie) que Montaigne intègre
dans son texte au moyen, le plus souvent, de propositions relatives, figurent dans EB d'intéressantes additions — de longueur variable — où s'approfondit la
pensée de l'écrivain. Plus encore qu'avant 1588,
celui-ci « preste une belle et large carriere et toute
liberté » (I, 32, 215, C) à ses façons de voir et de
sentir. Il « ose non seulement parler de *luy*, mais
parler seulement *de luy* » (III, 8, 942, C). Désormais,
il s'enhardit, comme le note Donald Frame, à s'exprimer de façon de plus en plus gaillarde, à dire plus
ouvertement sur son livre, sur les problèmes religieux
et politiques de son temps, sur sa conception personnelle d'une vie heureuse, à cerner toujours davantage
son moi, jusqu'au plus intime.

« Jamais homme n'eust ses approches plus impertinemment
genitales » que lui,

nous avait-il confié en 1588 (III, 5, 890, B). A la
suite de Platon *(Timée)* et de Rabelais *(Tiers Livre,*
32), il s'amuse, dans une addition, à nous rappeler
que

« Les Dieux... nous ont fourni d'un membre inobedient et tyran-
nique... De mesme aus fames, un animal glouton et avide auquel
si on refuse alimans en sa saison il forcene impatiant de delai et
soufflant sa rage en leurs corps empesche les conduits arreste la
respiration causant mille sortes de maus jusques à ce qu'aiant
humé le fruit de la soif commune il en aie largement arrosé et ense-
mancé le fond de leur matrice » (III, 5, 859, C).

Ailleurs, il se plaît, non sans quelque grossiereté,
expressément voulue avant le final polyphonique
(C. Dickson) du chapitre « De l'experience », à
rabaisser nos prétentions humaines :

« Si avons nous beau monter sur des eschasses car sur des
eschasses encore faut il marcher de nos jambes. Et au plus
eslevé throne du monde si ne somes assis que sur nostre cul »
(III, 13, 1115, C).

Lui-même ne veut pas se guinder. On l'a parfois convié « d'escrire les affaires de *son* temps » (I, 21, 106, C). Il préfère s'en tenir à écrire « l'histoire de *sa* vie » dans un livre « plus riche que luy » (II, 8, 402, C), dont le prix tient plus au « pois et utilité des discours » qu'à leur « ordre et suite » (II, 27, 699, C), et dans lequel, « naturaliste » (III, 12, 1056, C), il voudrait, s'il était « du mestier », « *naturaliser* l'art », comme d'autres « artialisent la nature » (III, 5, 874, C).

D'autres, plus dangereux encore, mettent le pays à feu et à sang. Chrétiens, pourtant, mais « il n'est point d'hostilité excellante come la chrestiene » (II, 12, 444, C). Dans ses additions, Montaigne s'en prend vivement aux Protestants, dont il doute qu'ils puissent « en bon escient » être persuadés qu'ils vont « vers la reformation par la derniere des difformations » (III, 12, 1043, C). Et il ne ménage pas davantage les Ligueurs, ces faux dévôts, qui, bouleversant tout au nom de l'ordre et de l'autorité du roi, en arrivent, par un mensonge essentiel, à cette « extreme espece d'injustice » de faire « que ce qui est injuste soit tenu pour juste » *(ibid.)*.

« Au travers des tenebres publiques du monde de son temps », Montaigne a, cependant, pu préserver sa paix intérieure :

> « Toute la gloire que je pretans de ma vie est de l'avoir vescue tranquille. Tranquille non selon Metrodorus ou Arcesilas ou Aristippus, mais selon moy. Puisque la philosophie n'a sceu trouver aucune voie pour la tranquillité qui fust bone en commun : que chacun la cherche en son particulier » (II, 16, 622, C).

Depuis ses premiers essais, Montaigne proclamait que la véritable vocation de l'homme était d'arriver au « contentement ». Les ultimes retouches affirment que ce « contentement », chacun doit le chercher lui-même. En apprenant à toujours se mieux connaître.

Les additions finales insistent précisément sur le nécessaire approfondissement de la difficile connaissance de soi :

« Nous empeschons nos pensées du general et des causes et conduites universelles qui se conduisent tres bien sans nous, et laissons en arriere nostre faict et Michel qui nous touche encore de plus pres que l'home » (III, 9, 952, C).

Michel lui, « *faict son* faict et *se conoist* » (I, 3, 15, C), se connaît « bien » (III, 3, 969, C), jusque dans la triste prise de conscience de la perte de ses pouvoirs sexuels. Il le répète, en y insistant : nul besoin, désormais, pour lui, d'autre leçon que celle qu'il tire de sa propre expérience, saisie dans son humble quotidienneté. Déjà il s'était, dans l' « Apologie », cabré devant l'immuable échelle dressée par Sebond où l'homme, ce « mignon de Nature », dominait superbement toutes les autres créatures. Le voici maintenant qui s'ébat au jeu relativiste des changements de places, et d'optique. Quoi ? si l'homme était bête aux yeux des bêtes. « Quand je me joue à ma chate, qui sçait si elle passe son temps de moi plus que je ne fai d'elle ? » (II, 12, 452, C.) Ce qu'il sait, lui, c'est qu'il ne « cherche qu'à *s*'anonchalir et avachir » (III, 9, 954, C), mais qu'en revanche il demeure « delicat à l'observation de *ses* promesses jusques à la superstition et les *foit* en tous subjets volontiers incerteines et conditionnelles » (III, 9, 966, C). Ame curieusement « composée », d'un homme qui, parvenu en « cette occasion de trousser ses bribes et de plier bagage » (III, 9, 984, C), procède à son bilan final, sans rien renier de ses expériences passées. Pour lui, aucune des ultimes retouches n'implique réelle révision de son livre ; tout au plus commentaire personnel de ce qu'il a écrit auparavant et qu'il maintient, en le nuançant d'une touche légère ou en l'éclairant, comme il le fait, par exemple, dans les ajouts au chapitre « De l'amitié ». Telle était déjà sa position dans le texte publié en 1588. On se rappelle les deux affirmations du chapitre « De la Vanité » : « Je hais à me reconnoistre, et ne retaste jamais qu'envis ce qui m'est une fois eschappé » (962, B) et « J'adjouste, mais je ne corrige pas » (963, B). De fait, Montaigne ajoute alors son « troisiesme allongeail » ; il apporte de nombreuses additions aux deux premiers livres, mais, agissant ainsi, il n'entend nullement « reformer » l'ouvrage ni « réformer » l'homme singulier qu'il s'est efforcé d'y peindre. Cette position reste la sienne après 1588. Les « surpoids » d'idées qu'il insère dans son texte n'en « condamnent pouint la premiere forme » (III, 9, 964, C). Il serait certes inexact de dire que tous les allongeails, allongent seulement la rédaction antérieure, en la confirmant sans décalage, mais ils ne font souvent qu'ajouter au portrait que l'auteur « *doit* au publiq universellemant » (III, 5, 887, C) et qu'il veut rendre toujours plus révélateur. Se poursuit donc, durant les quatre dernières années, le même travail que Montaigne avait accompli entre 1580 et 1588, le même, en vérité, qu'il avait mené « à diverses poses et intervalles » (II, 37, 758, A) entre 1572 et 1580, en un temps où déjà, sans doute, il ajoutait à ses « fantasies », sans, pour autant, modifier « ses premieres imaginations par les secondes » *(ibid.)*, mais les creusant, les confrontant les unes aux autres. Ainsi, comme il le dit lui-même dans une adresse au lecteur, son « livre est tousjours un » (III, 9, 964, C) qu'il enrichit, afin qu'au fil des éditions successives » l'achetur ne s'en aille les mains du tout vuides » *(ibid.)*.

Le fameux « je ne corrige pas » ne se trouve vraiment démenti qu'au plan stylistique où, manifestement, Montaigne intervient pour « adapter aussi régulierement que possible les nouvelles additions à leur contexte » (A. Tournon) et pour accentuer, par des corrections et des ajouts, le caractère abrupt, ingénieux, incisif, de son langage parlé. Ainsi, dans cette addition à l'expression merveilleusement métaphorique :   .

« Et n'y a point de beste à qui plus justemant il faille doner des orbieres pour tenir sa veue subjete et contreinte davant ses pas et la garder d'extravaguer ny ça ny la hors les ornieres, que l'usage et les loix luy tracent » (II, 12, 559, C) ;

ou, dans cette autre, qui tient du *concetto* : « Tel ... faict des essais qui ne sauroit faire des effaicts » (III, 9, 992, C).

Au demeurant, l'œuvre est, certes, faite d'apports successifs qui témoignent des naturelles variations du moi, mais, si l'homme change, les idées auxquelles il tient le plus n'évoluent que peu d'une couche du texte à l'autre. Sans doute, oppose-t-on souvent telle déclaration du chapitre « Que philosopher c'est apprendre à mourir » : « Le but de nostre carriere, c'est la mort, c'est l'object necessaire de notre visée » (I, 20, 84, A) et telle autre sur le même sujet, écrite après 1588 : « Mais il m'est advis que c'est bien le bout non portant le but de la vie. C'est sa fin, son extremité non pourtant son object. Elle doit estre elle mesme à soi sa visee, son dessein » (III, 12, 1051, C). Jules Brody a montré qu'il n'y avait là aucune contradiction, si l'on donne au mot *but*, dans la première citation, le sens de « point terminal », de « fin de cet itinéraire qu'est notre vie » ; et non pas de « fin en soi », de constante préoccupation psychologique ou morale qui torturerait la vie de l'homme. En vérité, même si l'on n'accepte pas que, dans I, 20, *but* soit synonyme de *bout*, il suffit, pour écarter toute idée de palinodie de Montaigne, de remarquer que, dans I, 20, Montaigne se borne à une simple constatation : de leur vivant, tous les hommes ont les yeux et les pensées fixés sur la mort ; tandis que, dans l'addition finale de III, 12, il livre son opinion personnelle « Il m'est advis que... ». Opinion contraire, il est vrai, à ce que Montaigne avait noté précédemment, mais sans nous dire, alors, qu'il le prenait à son compte : parce que ce n'était pas le cas. Ainsi, les variantes de l' « Exemplaire de Bordeaux », en dehors de leur intérêt stylistique, qui est grand, ont cet avantage de nous révéler plus complètement les mouvements d'une pensée en travail qui, toujours ferme dans son dessein enquêteur et s'assurant de plus en plus sur le moi qu'elle explore, revient sans cesse sur ses trouvailles, pour les « ruminer et poiser » (III, 9, 995, C), pour les réévaluer à chaque reprise. A travers ce dialogue qui se prolonge entre le métalangage (discours sur le texte) et le langage-objet (les couches A et B), s'opère le continuel échange nourricier entre l'écrivain qui a délibérément choisi la forme ouverte de l'essai et son texte « scriptible » (R. Barthes), dont il sait qu'il ne sera jamais achevé.

Les éditions de Marie de Gournay

A côté de l'« Exemplaire de Bordeaux », Montaigne laissait-il, à sa mort, une autre copie — aujourd'hui perdue — de l'édition de 1588, sur laquelle il aurait mis au net lui-même et/ou fait, sous sa surveillance, transcrire par un secrétaire les retouches d'EB, indéfiniment remaniées et, donc, devenues difficiles à démêler ? On peut le croire, sans qu'il y ait certitude absolue. Si cette copie — plus ou moins complète — a bien existé, c'est, sans doute, elle, revue et achevée par Pierre de Brach (à moins qu'il ne s'agisse d'une copie tout entière préparée par Pierre de Brach), qu'au printemps 1594, la veuve de Montaigne fit parvenir à Mlle de Gournay — alors à Paris — pour qu'elle la remît à l'imprimeur. La « fille d'alliance » de Montaigne confia donc à L'Angelier un matériel — qui n'est pas l'EB, auquel il est postérieur — dont elle-même déclare qu'il restait difficile à lire. Marie de Gournay surveilla le travail de composition et assura la correction des épreuves. C'est ainsi qu'au début de 1595 fut publiée, in-folio, à Paris, chez Abel L'Angelier, éditeur principal, et Michel Sonnius II, une « Edition nouvelle trouvée après le deceds de l'Autheur, reveüe et augmentée par luy d'un tiers plus qu'aux precedentes impressions ». Les lecteurs disposaient alors de la première édition posthume des *Essais*, l'édition « lyonnaise » in-12 parue la même année n'étant qu'une reprise — souvent fautive — de celle de 1588. La première, aussi, à présenter pour titre *Les Essais*, et non plus *Essais*. Cette édition — la sixième — s'ouvre sur une longue préface — qui n'apparaîtra plus dans les éditions suivantes — de Marie de Gournay ; elle comprend deux parties (livres I et II, et livre III) en un volume. Par rapport à l'édition de 1588, les changements sont nombreux : plus de 1 400 additions. Considérables, également, les différences — dont n'a pas encore été dressé un relevé exhaustif — entre l'EB et l'édition de 1595. Cette édition de 1595 fut longtemps tenue pour « définitive » : jusqu'à la fin du XVIIIe siècle, époque à laquelle l' « Exemplaire de Bordeaux », pratiquement oublié de tous et dont un relieur maladroit avait rogné les feuilles, fut, enfin, exploité par François de Neufchâteau, puis par Naigeon, pour son édition Didot de 1802. Elle garde encore, de nos jours, de chauds partisans qui veulent y trouver « le dernier état authentique » des *Essais*.

Dans la grande préface de 1595, Marie de Gournay, qui se flatte d'avoir secondé les intentions de Montaigne « jusqu'à l'extrème superstition », ne dit pourtant jamais qu'elle a utilisé — ce qui serait assurance d'authenticité — une copie corrigée et augmentée de la main de son « père ». Mais, comme l'écrit D. Maskell, « le silence... n'autorise pas à conclure qu'elle n'a jamais eu l'écriture de Montaigne » sous les yeux. Pour trancher la question de l'authenticité de l'édition de 1595, il faudrait avoir retrouvé l'exemplaire envoyé à Mlle de Gournay et à partir duquel se fit l'impression. On saurait alors si cet exemplaire mérite bien le nom de « Copie de Montaigne » que lui décerne David Maskell. Pour le moment, le plus sage — semble-t-il — est, à la manière de Montaigne, de suspendre son jugement, de pratiquer une prudente et provisoire *époché*.

Les exemplaires de l'impression de 1595 ne sont pas tous interchangeables. Ainsi, l'Avis de Montaigne « Au lecteur », qui n'avait pas été transmis à Paris, est absent des exemplaires Sonnius. Retrouvé en cours d'impression, il fut placé au verso — resté blanc — de la table des chapitres, dans les exemplaires L'Angelier qui restaient à tirer et qui en donnent un texte fautif. Au même moment, on s'aperçut qu'un long développement du chapitre « De la coustume » avait été omis : grâce à un « carton », il fut intégré, mais seulement dans certains exemplaires. C'est, en revanche, dans l'ensemble des exemplaires, que le chapitre I, 14 (« Que le goust des maux... ») est devenu — sans que l'on sache exactement pourquoi — le chapitre I, 40, ce qui entraîna une renumérotation des chapitres intermédiaires. Dans l'ensemble des exemplaires, aussi, est introduit, à la fin du chapitre « De la praesumption » (II, 17), un long jugement, fort élogieux, de Montaigne sur Marie de Gournay, appréciation flatteuse qui ne figure pas dans les marges — pourtant libres — de l' « Exemplaire de Bordeaux ». S'agit-il, comme le pense Dorothy Coleman, d'un faux, forgé par Marie de Gournay elle-même, ravie de laisser croire que Montaigne avait eu pour elle (comme pour La Boétie) une « tressaincte amitié » et qu'il l'avait « certes aymée... beaucoup plus que paternellement » ? La question reste ouverte. Soit vrai ou faux, comme aurait dit Ronsard, l'éloge parut, plus tard, excessif à la « fille d'alliance » qui, dans son édition de 1625, effaça *beaucoup* et, dans celle de 1635, supprima *plus que*, devant *paternellement*.

Marie de Gournay devait, en effet, pendant une quarantaine d'années, donner ses soins, comme éditrice ou d'une autre façon, à une dizaine d'autres éditions des *Essais*. Les modifications apportées

— parfois à la plume, de la main même de la « fille d'alliance » — au texte des *Essais*, dans les derniers exemplaires de l'édition de 1595, se trouvent reprises dans la « seconde édition posthume » parue en 1598, toujours chez L'Angelier. Entre temps, Mlle de Gournay avait séjourné plusieurs mois, dès 1595 sans doute, au château de Montaigne. L' « Exemplaire de Bordeaux » s'y trouvait-il encore ou avait-il déjà été confié aux Feuillants, il n'est pas facile de l'affirmer. Ce qui est certain, c'est que Mlle de Gournay a, pendant qu'elle était à Montaigne, travaillé au texte des *Essais*. C'est de là que, le 15 novembre 1595, elle envoie à Juste Lipse trois exemplaires de 1595, corrigés de sa propre main : l'un pour lui, les autres pour qu'il les fasse parvenir à des imprimeurs de Bâle et de Strasbourg. Est-ce l'un de ces exemplaires que conserve actuellement le Musée Plantin d'Anvers ? Peut-être. Mais il n'est pas exclu que cet exemplaire, qui comporte des annotations de la main de Marie de Gournay, ait été envoyé directement par elle à Plantin. En tout cas, l'édition de 1598 se trouve « en germe » dans cet exemplaire « Anvers I », où se lit déjà la brève lettre manuscrite par laquelle Marie de Gournay remplacera, dans l'édition de 1598, la longue préface de 1595. Dans cette édition de 1598 figure, imprimée pour la première fois, l'épigraphe virgilienne : *Viresque acquirit eundo* ; et, curieusement, l'essai « De la coustume » y subit quelques suppressions, mineures en vérité. C'est cette édition qui va servir de modèle aux impressions de la première moitié du siècle suivant, parmi lesquelles il faut faire une place particulière à la grande édition in-folio qu'en 1635 Mlle de Gournay fit imprimer à Paris, chez Camusat, avec une dédicace au cardinal de Richelieu, dont « la liberalité » l'avait aidée « à la mettre au jour ». Dans cette édition de 1635, où, à la demande de son éditeur, elle avait entrepris d'identifier toutes les cita-

tions, Mlle de Gournay n'avait pas hésité à intervenir (contenu et expression) plus encore que d'habitude, donnant aux *Essais* une physionomie vraiment nouvelle. Ce texte de 1635, dans l'établissement duquel se mêlent « liberté et rigueur », mais que certains tiennent, cependant, pour supérieur à celui de 1595, devait bientôt supplanter celui de 1598 comme texte de référence. Il réapparut dans la plupart des éditions de la seconde moitié du XVIIe siècle : notamment, dans celle d'Henri Estienne III (1652) dont un exemplaire eut — on sait avec quelles conséquences — pour lecteur un certain Blaise Pascal et dans celle du libraire bruxellois Foppens (1659), que rend remarquable un *ex-libris* de Jean Racine.

Simples suggestions
aux futurs éditeurs des « Essais »

Il s'y faut résigner : nous n'avons, de nos jours, aucune édition véritablement critique de Montaigne. Peut-être n'est-il pas possible d'en avoir une, qui soit commode, car l'appareil critique risquerait, dans bien des cas, d'être plus chargé que le texte lui-même. Et d'ailleurs, quel texte choisir pour base ? En bonne méthode, celui de la dernière édition publiée du vivant de l'auteur et sous son contrôle. Mais Montaigne — ses retouches finales le prouvent bien — considérait l'édition de 1588 comme une étape dépassée. Faut-il, alors, prendre appui sur l' « Exemplaire de Bordeaux » qui, même s'il n'est pas le dernier état du texte revu par Montaigne, présente cet indiscutable avantage d'être très massivement annoté de sa main ? Document incontournable, donc, malgré les dommages causés par le couteau du relieur, mais document à compléter par l'apport d'une édition — soigneusement établie — du texte de 1595, comparé de façon précise avec l' « Exemplaire de Bordeaux », dont il permet de

rétablir les lettres, les mots ou les phrases fâcheusement rognés au XVIIIᵉ siècle. A dire vrai, aucune des versions des *Essais*, ni celle de 1588, ni celle de l' « Exemplaire de Bordeaux », n'est, à strictement parler, « définitive » ; et les éditions posthumes, en dépit de leurs mérites, ne sont pas totalement fiables. Quel que soit le texte de base retenu (1580 pour les deux premiers livres, 1588, « Exemplaire de Bordeaux », ou 1595), il importe que, dans toute la mesure du possible — et en dehors même de la solution à donner aux problèmes de paragraphes, de ponctuation, d'orthographe — soient, d'une manière ou de l'autre, fournies, avec les indications de leurs diverses dates, les variantes inscrites depuis 1588 jusqu'à 1595-1598. Pour le moment, il paraît difficile d'aller plus loin et de mieux faire.

Chapitre VII

« POUR MOY DONC, J'AYME LA VIE »

Une sagesse du plaisir

Dans une totale liberté de l'esprit et de la conscience, dans le refus de sacrifier son indépendance intellectuelle ou morale à quelque jugement extérieur, à quelque système de valeurs étrangères que ce soit, Montaigne cherche la sagesse, cette science de la vie véritable, dont « la plus expresse marque c'est une esjouissance constante » (I, 26, 161, A). Ce qu'il veut, c'est arriver au bonheur. L'affirmation était nette dès le chapitre I, 20, « Que philosopher c'est apprendre à mourir » :

> « De vray ou la raison se mocque, ou elle ne doit viser qu'à nostre contentement : et tout son travail tendre en somme à nous faire bien vivre, et à nostre aise, comme dict la sainte parolle » (81, A).

Elle est reprise dans les chapitres des derniers *Essais* :

> « Je courrois d'un bout du monde à l'autre, chercher un bon an, de tranquillité plaisante et enjouée : moy qui n'ay autre fin que vivre et me resjouir » (III, 5, 843, B)

et dans les additions finales :

> « Ma principale profession en cette vie estoit de la vivre mollement et plus tost lachement qu'affaireusement » (III, 9, 949, C).

Pas le moindre désaccord à ce sujet entre le Montaigne d'avant 1580 et celui des ultimes années. Et nulle basse complaisance à soi dans de telles déclarations. Le tranquille contentement auquel il aspire est indissociable dans son esprit de « l'ordre et *du* reglement des meurs » (II, 15, 616, A). C'est à la manière de la vertu que « l'esjouissance » doit être « plaisante et gaye » (III, 5, 845, B) ; ennemie de l'austérité, elle n'a cependant rien à voir avec « la lâcheté et foiblesse » (II, 17, 646, A) des âmes amollies. « Le sainement et gayement vivre » (III, 10, 1007, B) ne peut procéder que d'une « conduite » sagement ordonnée.

Conduite dont les autorités philosophiques ne sont pas en mesure d'indiquer les voies, puisque, dans leurs agaçantes généralités, elles proposent artificiellement de grandes et fausses attitudes, sans rapport (Montaigne en a fait l'essai) avec la condition de ces hommes de la « basse forme » (III, 9, 988, B), au nombre desquels il se range, à une place qui lui est propre. D'où, dans son texte, tant d'interrogations désolées du type « A quoy ? » « A quoy faire », où s'exprime son étonnement réprobateur devant les discours des « outrecuidés » pseudo-sages, qu'abuse la *vanitas humana*, blâmée par saint Augustin dans un passage de la *Cité de Dieu* que Montaigne transcrit à la fin de son dernier chapitre.

Aux absolutisantes assertions dogmatiques, Montaigne oppose avec force son : « Il n'en est rien. » Pour lui, il n'est d'autre moyen d'aller « recommandablement », selon « l'humaine condition », que d'avoir le difficile courage de s'en remettre, « pour se ranger et circonscrire », au gouvernement de la nature, à la fois force énigmatiquement organisatrice du monde et mère rassurante, guide doux « mais non pas plus doux que prudent et juste » (III, 13, 1113, B). Sans doute, déclare-t-il, avons-nous, par nos argumentations sophistiquées, abâtardi ces lois que nature, au départ, nous donne « toujours plus heureuses que ne sont celles que nous nous donnons » (III, 13, 1066, B). Mais, à défaut de les reconnaître, nous pouvons les sentir. La sensation nous révèle, de façon naturelle et immédiate, ce qu'il nous faut suivre, ce qu'il nous faut fuir. Il suffit d'avoir, par « le sentir », éprouvé la douleur et le plaisir pour savoir, contre toutes les arguties des philosophes, que le plaisir est bon, et mauvaise la douleur. Il faut donc que chacun suive la nature, qu'il peut observer en lui-même, souvent « diversifiée » par la coutume. Il faut que chacun se laisse guider par tout ce qui, en lui, est nature, y compris « la raison universelle empreinte en tout home non desnaturé » (III, 13, 1059, C), qu'il importe de distinguer, bien sûr, de l'errante et arrogante raison dénoncée dans l' « Apologie ». Y compris, aussi, l'art, non pas celui qui falsifie la nature, mais cet autre, « contrerolle et ... registre des productions » des âmes « bien *nées,* et *exercées* à la practique des hommes » (III, 3, 824, B), qui la met en valeur et la rend plus agréable encore. Conduit de la sorte, l'homme parviendra à la réalisation effective d'un art de vivre à sa « juste mesure et proportion » (II, 16, 628, A).

D'un art de vivre heureux

Car, Montaigne y insiste bien, sa recherche est d'ordre éthique, pratique. Sa « philosophie est en action, *en* usage naturel *et present*, peu en fantasie » (III, 5, 842, B-C). Il traduit donc dans les faits, dans sa conduite, un certain nombre de principes essentiels.

D'abord, aimer la vie telle qu'elle lui a été donnée. Et, pour cela, faute de le dominer, accepter le temps, sans lequel « rien ne se possède » (III, 10, 1011, C). Accepter son temps, tout « malade » qu'il soit (III, 9, 993, B), regretter, si l'on veut, « les meilleurs temps : mais non pas fuyr aux presens » (III, 9, 994, B). Accepter les autres, avec leur sottise, leur pédantisme, leur opiniâtreté, même si paraît bien difficilement supportable leur « trouigne trop imperieuse et magistrale » (III, 8, 924, C) ; les accepter sans leur faire de procès gratuit : « Faut-il, si elle est aussi putain, qu'elle soit aussi punese ? » (III, 10, 1013, C.) Et surtout s'accepter soi-même : en faisant de la reconnaissance de son néant, de sa « nihilité », de son ignorance, le fondement de sa sagesse, d'une sagesse qui consiste à accueillir chaque fois le don qui nous est fait, sans prétendre, pour autant, expliquer le geste du donneur ; en renonçant à devenir « Ange ou Caton » (III, 2, 813, B), pour se borner à s'avouer simplement homme et rien d'autre ; en se pliant « sans desplaisir », sans se perdre « d'impatience » (III, 13, 1088, B) au joug de ses limites naturelles.

Aimer la vie, mais encore la « cultiver telle qu'il a pleu à Dieu nous l'octroier » (III, 13, 1113, B). Montaigne s'emploie, ainsi à « estendre la joye » de son existence et à en « retrencher », dans la mesure du possible, « la tristesse » (III, 9, 979, B), cette « passion » que lui-même « n'ayme ni *n*'estime », comme il le déclare dans le chapitre I, 2, mais dont il est moins exempt qu'il le prétend. Louant ici la « sagesse humaine » qui « faict favorablemant et industrieusemant d'emploier ses artifices à nous peigner et farder les maus et en alleger le sentimant » (I, 30, 200, C), il s'applique à réduire le côté pénible de la vie. Dans le « tracas des affaires » (III, 9, 975, B), il « feinct, il ploye » (III, 10, 1008, B) faisant preuve, comme Alcibiade, de cette « varieté et ... soupplesse » (III, 3, 818, B), déjà recommandée dans I, 26, qui permet à l'homme de s'adapter à la diversité des situations, « sans tourment et sans affliction » (III, 10, 1008, B). En ce qui concerne les « passions et agitations » (III, 13, 1098, B), les émotions violentes, il les prévient en évitant les occasions qui pourraient les faire naître (III, 10) : il a, ainsi, renoncé aux « jeux hazardeux des cartes et dets » qu'il aimait autrefois ; il évite « le progrez *des affaires doubteus et* des altercations contentieuses » ; il préfère se faire « une bien evidente injustice, pour fuir le hazard de la recepvoir encore pire des juges, apres un siecle d'ennuys et d'ordes et viles pratiques, plus ennemies de *son* naturel, que n'est la geine et le feu ». Se sent-il, quand même, atteint par ces passions — car il ne souffre pas de cette « ladrerie spirituelle » (III, 10, 1014, B) de ne voir « les choses qu'à demy » —, il s'efforce de les détourner à leur début, au « premier branle », « à l'enfourner », où il suffit « d'un peu d'avisement », d'un « quart d'once de patience ». Plus tard, il lui serait difficile de les « gourmer et brider » : il n'aurait plus qu'à « suyvre ». Aussi, essaie-t-il, par la maîtrise de soi, de « tenir son ame et ses pensées en repos » (III, 10, 1020, B). De même, il s'attache, de tout son entendement, à « souffrir doucement les loix de *sa* condition » (III, 13, 1089, B), bien décidé à s'en aller « doucement et de bone voglie où l'humaine necessité *l'*appelle » (II, 8, 398, C). Pour supporter « gayement » sa vieillesse, il disperse les tristes imaginations de cet âge, « incommode et miserable », par la « debauche » (III, 9, 977, C) de son esprit, employant « *quelque* fois *son* ame à des pensements *folastres* et jeunes », comme lorsqu'il écrit « les défis érotiques » (G. Nakam) du chapitre « Sur des vers de Virgile » : doux souvenirs des plaisirs passés. Les passions, la vieillesse tiennent la plupart des hommes en « penible solicitude ». Les maladies aussi, « accidens à quoy la vie humaine est subjecte ». A ces maladies, il « faut ceder naturellement, selon leur condition et la nostre ». Comme nous, « elles ont leur fortune limitée des leur naissance et leurs jours » (III, 13, 1088, C). Il n'est donc qu'à les laisser « envieillir et mourir ». Mourir, oui, car la mort, notre mort, n'est pas, elle, comme la maladie, la douleur ou la pauvreté, un accident possible ou probable : elle est inévitable, inscrite pour tous les hommes dans l'ordre des choses, terme naturel de notre parcours terrestre. Cette mort, « object necessaire de nostre visée », Montaigne, dès avant 1580, s'était demandé, dans le chapitre I, 20, comment nous pouvions l'envisager « sans fiebvre ». Il avait rejeté « le grossier aveuglement » du « vulgaire », la « nonchalance bestiale » des gens sans entendement que la mort surprend « en *dessoude* et à decouvert » : d'autant plus terrifiante qu'ils se sont refusés à s'y préparer. Il avait alors, quant à lui, choisi une autre attitude, digne, elle, d'un homme, qui, conscient de sa condition mortelle, intègre sans effroi la mort à sa pensée, la pré-médite de façon continue, sans cesser pour autant d'agir, et qui souhaite que « la mort *le* treuve plantant ses chous : mais nonchalant d'elle, et encore plus de *son* jardin imparfaict » (I, 20, 89, A). Pour lui, l'essentiel était de vivre dans une aise active : en « s'aprestant » à la mort — si possible, soudaine — mais sans avoir d'elle une véritable hantise, parce qu'il avait déjà arraché le masque hideux qui, dans les spectaculaires « apprests » du cérémonial public de l'agonie, rend le visage du « mourir » plus effrayant encore. Sous les accents souvent sénéquiens d'un homme qui n'est pas stoïcien, mais qui tend, de toutes ses forces, à écarter la peur légitime de la mort sans en repousser la pensée, il avait proposé de la vie et de sa fin une conception « naturelle ». Adaptée à la condition humaine, cette conception prenait en compte à la fois « toute la sagesse et discours du monde » païen, que résumait la maxime titulaire de Socrate prêtée à Cicéron, et « toutes les opinions du monde » qui, dans leur sagesse, affirment qu'il serait sot d'écouter « celuy qui pour sa fin establiroit nostre tourment ». De la mort, Montaigne avait d'ailleurs fait l'approche analogique, l'expérience personnelle quasi vécue, lors de la perte de la conscience, de la sensibilité, de la mobilité, qui avait suivi son accident de cheval, survenu soit en 1568, soit à la fin de 1569, et relaté dans le chapitre II, 6, « De l'exercitation ». Evanouissement qui lui avait révélé ce que pouvait être cet hésitant « begayement » entre le vivre et le mourir, qu'il transférait de façon rassurante dans le domaine familier, entre tous, du sommeil quotidien. Analysant — le premier dans la littérature française — le subconscient, il avait assimilé à cet état d'inconscience, presque voluptueuse, faite d'inconsistante légèreté aérienne, de fonctionnement tout mécanique, la défaillance de « foiblesse » des agonisants dont il avait toujours pensé, comme La Boétie, qu'en cet ultime passage « ils avoient et l'ame et le corps enseveli, et endormy » (II, 6, 374, A), qu'ils n'étaient donc pas « fort à plaindre ». Aussi, en avait-il conclu que « quant à l'instant et point du passage, il *n'estoit* pas à craindre qu'il porte avec soy aucun travail ou desplaisir, d'autant que nous ne pouvons avoir *nul* sentiment, sans loisir [= durée de temps »] (II, 6, 372, A). Et que c'étaient « les approches de la mort » que nous avions à redouter : idée que nous retrouvons dans I, 20, où Montaigne évoque les inévitables « piqueures » des « imaginations de la mort », que l'on peut apprivoiser, dit-il, « en les maniant et *repassant*, au long aller » (I, 20, 88, A), sans risquer de vivre « en continuelle frayeur et frenesie ». A la frayeur et frénésie échappent les « pauvres gens » qu'il a, depuis, vu mourir avec constance, avec patience, parce que, de la mort, ils n'ont supporté que les approches, non les imaginations. Exemples, mais non pas modèles pour Montaigne qui, comme eux, veut se laisser guider par la nature, mais qui sait qu'il n'échappera pas, lui, aux douloureux pensements de la mort à venir, d'une mort dont il s'est toujours « entretenu ». Ce dont il se « contentera », après 1580, c'est d'une « mort recueillie en soy, quiete, et solitaire, toute *sienne*, convenable à *sa* vie retirée et privée » (III, 9, 979, B), parachevant sa vie d'homme mortel.

Cet « acte à un seul personnage », ce « maistre jour », il veut alors, non pas le subir selon les recettes codifiées des *Artes moriendi*, mais le vivre en parfaite et agréable soumission à la nécessité naturelle, qui inclut la mort dans la vie, dans cette vie « composée, comme l'armonie du monde de choses contraires... » (III, 13, 1089, B) et où, en définitive, « le plaisir est nostre but » (I, 20, 81, C). Car il ne suffit pas, pour être pleinement heureux, de ne pas allonger, par l'imagination, les tourments de la vie. Il faut — c'est la méthode de diversion — « transferer la pensée des choses facheuses aus plaisantes » (III, 4, 831, C), augmenter les agréments de la vie. Et, d'abord, ne pas dédaigner, comme nous y pressent trop souvent les philosophies austères et les religions ascétiques, « les plaisirs humains et corporels », plaisirs qu'une correction postérieure à 1588 dira « naturels et par consequant necesseres et justes ». Ces plaisirs voulus par la nature (plaisir de la table, plaisir de l'amour — non pas, pour Montaigne, de l'amour-passion, mais de l'étreinte amoureuse), il convient, pour les goûter convenablement, de les recevoir en hôtes bienvenus, de les apprécier en leur temps, comme d'agréables manifestations de l'universelle nécessité. Conception héraclitéenne et dionysiaque. Apollinienne aussi, puisque, s'il faut, là où la nature a nettement désaccouplé la douleur et le plaisir, s'appliquer à éviter la douleur et « n'*estriver point* contre les voluptez naturelles » (III, 5, 892, B-C), il importe également de savoir garder la mesure et le contrôle de soi dans la jouissance du plaisir : « L'intemperance est perte de la volupté, et la temperance n'est pas son fleau, c'est son assaisonement » (III, 13, 1110, C). La volupté, il la faut prendre « par soif mais non jusques à l'ivresse » (III, 13, 1111, C). La regarder, comme la douleur, « de veue pareillement *reglée* » (III, 13, 1111, B-C), vouloir que, l'une et l'autre s'appliquant à la raison, en naisse « vertu ».

97

4

Ces plaisirs humains, que l'on ne doit ni « suyvre » ni « fuir », une fois qu'on les a « gratieusement » et « vertueusement » accueillis, il les faut « amplifier ». En les vivifiant par l'esprit, grâce auquel la sensation va devenir pensée : « Que l'esprit esveille et vivifie la pesanteur du corps, le corps arreste la legereté de l'esprit, et la fixe » (III, 13, 1114, B). Loin d'être opposés, le corps (auquel Montaigne restitue sa pleine dignité) et l'esprit doivent s'unir et se « complaire conjugalement », ou, mieux encore, devenir trame et tissu de « fraternelle correspondance », pour donner au plaisir ses véritables dimensions. Au corps de sentir les plaisirs ; à l'esprit d'en prendre conscience. A l'esprit d'assumer le soin de notre corps par le bon sens, la tempérance, l'équilibre ; au corps de donner à notre esprit ses possibilités et ses conditions d'exercice. « Mutuels offices », usage spirituel et quasi mystique de la sensation, où se réalise l'élévation jusqu'à la joie de nos plaisirs, de nos voluptés. Acte de jouissance qui doit être action de grâces envers le Créateur. Celui-ci, en effet, nous a fait le don précieux et tout gratuit de notre corps et de notre âme, cette âme qui, s'étant cherchée et « trouvée » dans une agréable association avec les sens,

« mesure, combien c'est, qu'elle doibt à Dieu, d'estre en repos de sa conscience, et d'autres passions intestines : d'avoir le corps en sa *disposition* naturelle, jouyssant ordonnéement et *competammant*, des functions molles et flateuses, *par les quelles* il luy plait compenser de sa grace, les douleurs, de quoy sa justice nous bat à son tour » (III, 13, 1112, B-C).

Ainsi, Montaigne atteint à une sorte d'état de grâce, à cette « absolue perfection, et comme divine, de sçavoir jouyr loiallement de son estre » (III, 13, 1115, B). Au vrai bonheur de la délicieuse coïncidence à soi.

Le prix du bonheur présent

Non pas le bonheur de tranquillité, satisfaction d'avoir conservé les acquis du passé. Ni, pour parler comme Teilhard de Chardin, le bonheur de croissance, entièrement tourné vers l'avenir. Mais le difficile et délicat plaisir du bonheur présent, « prospere estat » de l'heure vécue « à propos » : « Nul desir, nulle crainte ou doubte, qui luy trouble l'air : aucune difficulté, *passée, presante, future,* par dessus laquelle son imagination ne passe sans offence » (III, 13, 1112, B-C). Un bonheur présent, joui dans l'ataraxie et qu'il est loisible de parfaire en donnant, qui veut, à la vie d'ici-bas tout son prix, par la possible participation spirituelle à l'infini et à l'éternel dont elle est capable. De l'autre vie, Montaigne ne parle pas dans les *Essais* : elle échappe à nos moyens humains. Mais à son existence terrestre, il veut donner son prix supérieur, parce qu'il entend jouir à chaque instant d'une humanité totale, consciente de ses enracinements terrestres et de sa sublime relation avec un Créateur, auquel l'homme doit compte « jusques à un poil » de l'inestimable présent dont il a été gratifié et qu'il ne lui appartient pas d' « *anuller* et desfigurer » (III, 13, 1113, C-B). Ce qui ne nous autorise pas à prêter à Montaigne une foi toute naïve, à faire de lui l'homme des grands élans mystiques, encore moins à le camper en théologien casqué. Ce qui rend, d'autre part, difficile de douter de sa foi ou, même, de la tenir pour superficielle, pour purement « ceremonieuse ». Une phrase comme : « Nous sommes Chrestiens à mesme titre que nous sommes ou Perigordins ou Alemans » (II, 12, 445, B) ne va pas au-delà du constat qu'il y a relation entre telle pratique religieuse et le pays et le temps où cette pratique se développe. Certes Montaigne n'évoque jamais la figure du Christ, mais, en admettant même que son pyrrhonisme se soit, à un moment donné, appliqué aussi à la religion chrétienne, restent, à côté de ses déclarations d'orthodoxie, les accents d'émotion religieuse si sensibles dans les pages finales sur l'art de vivre, un art de vivre naturaliste assurément, mais qui, s'il ne suppose pas la foi, paraît bien pouvoir l'inclure. Montaigne n'a, croyons-nous, pas voulu rester chrétien pour la seule raison qu'il était Périgourdin !

Cet art de vivre, Montaigne ne l'impose pas : ce n'est pas son habitude de donner des leçons, d'offrir des recettes universellement valables. Tout au plus indique-t-il quelques-uns des moyens qui lui ont réussi. Mais comment ne pas être impressionné par l'extrême gravité du ton des lignes du dernier chapitre où Montaigne rappelle que l'homme a, par nature, non seulement le droit, mais le devoir d'être heureux, de faire son bonheur « à sa poste » ? Au moment où il achève son livre, il revient, avec une force accrue, sur ce qu'il n'a cessé de dire dans l'ensemble de son œuvre : que le sens de la vie, c'est le bonheur, un bonheur dont la quête ne s'improvise pas, dont la réalisation ne requiert rien d'héroïque (même si Montaigne ne cesse d'être hanté par des fantasmes d'héroïsme), mais exige tous les efforts qui ne seraient pas des efforts hors de notre portée, donc inutiles. Il y a dans la volonté de bonheur de Montaigne une volonté de perfectionnement à l'échelle humaine qui rend plus attachante encore sa perpétuelle invitation au plaisir, au plaisir de vivre avec sagesse, sans lustre peut-être, mais non sans grandeur.

Chapitre VIII

CETTE « RHAPSODIE »
SI PARTICULIÈRE DES « ESSAIS »

Pour caractériser la structure de la phrase de Montaigne, son expression synthétique et frappante, Fausta Garavini a trouvé la séduisante désignation de la désormais fameuse « formula ». Nous voudrions toucher ici à la manière ou mieux à la « façon » de l'essai montaignien. Avec moins de bonheur sans doute, mais avec la caution de Montaigne lui-même (I, 13, 48, A), nous avons choisi de parler de « rhapsodie », terme dont les actuelles connotations musicales ne sont « en dissonance » ni avec le jeu polyphonique des citations et du moi, ni avec les multiples harmoniques d'une écriture particulièrement poétique.

Montaigne et le déjà dit

Il n'est guère de page des *Essais* où le lecteur ne découvre d'emblée, incorporés dans l'écriture de Montaigne, des fragments étrangers ou, pour reprendre les mots de Marie de Gournay, des « exemples, histoires et riches allegations » qui, nous dit-elle, valurent au livre une grande part de leur immédiate « reception publique ». Ces emprunts — sur lesquels on n'a cessé de s'interroger depuis maintenant quatre siècles et dont l'étude s'est constamment enrichie de précisions, de découvertes nouvelles — recouvrent aussi bien les traductions par Montaigne d'une lettre d'Epicure, de la conclusion du *Dialogue des Orateurs*, d'un passage de Sénèque, que la paraphrase plus ou moins libre — dans la tradition de l'*exemplum* — d'une pensée d'autrui ou que le simple écho de la lecture d'un livre parfois superficiellement feuilleté. Ils englobent également, outre les allégations, avec référence à l'autorité qui les garantit, les citations proprement dites, distinguées dans le texte par des italiques, et dont Montaigne, le plus souvent, n'indique pas les auteurs. Citations nombreuses : quelque 1 300, isolées ou groupées en grappes. Faites en diverses langues : elles sont latines pour la plupart, parfois françaises (il s'agit, d'ordinaire, de traductions d'auteurs grecs), à l'occasion grecques, italiennes, espagnoles, voire gasconnes. Citations de poètes surtout, dans les éditions de 1580 et 1588 ; mais plutôt de prosateurs (notamment latins) dans les ajouts de 1588-1592. Dans ces additions finales, Montaigne cherche, semble-t-il, davantage l'efficacité que l'ornementation : il cite directement ses prosateurs, sans les traduire ou les paraphraser, leur demandant surtout de frappantes et fortes formules. Se poursuit donc, après 1588, comme entre 1580 et 1588, le dialogue, commencé dès le début, du moi et de la citation, en vers ou en prose. Ainsi, dans les *Essais*, Montaigne convoque, cite à comparaître Plutarque (dans la traduction d'Amyot), Cicéron, Virgile, Sénèque et beaucoup d'autres auteurs, parmi lesquels saint Augustin, Erasme, Ronsard, Du Bellay, H. Estienne, Dante ou Pétrarque.

Sur le recours qu'il fait aux formes brèves d'emprunt, Montaigne, désireux de justifier la présence dans son livre des paroles d'autrui, a dispersé, dans les *Essais*, les éléments d' « un véritable discours théorique, éthique et rhétorique » (C. Blum). Au plan éthique, il refuse, comme contraire à son projet d'enquête toujours inachevée, de recherche incessante du « moi intérieur », l'usage scolastique et traditionnel de la citation d'autorité : n'exceptant de sa contestation que les allégations de la parole de Dieu et les interprétations théologiques qui en sont données par les Saints et par les Pères. Pour lui, le nombre et le prétendu poids des allégations profanes ne fondent pas une validité des opinions, n'assurent nullement la connaissance en vérité, ne conduisent d'aucune manière à la sagesse. Comme « authorité », — en dehors d'Epicure et de Sénèque (I, 39, 247, A) — Montaigne n'évoque et n'invoque pratiquement qu'un seul témoin profane : Socrate, qui, précisément, refuse toute allégation et ridiculise tous « ces pastissages de lieux communs » « qui servent à nous montrer, non à nous conduire » (III, 12, 1056, C). Au plan rhétorique, il élabore (sans la constituer en doctrine) une esthétique nouvelle du travail de la citation. Est saisi, d'un autre texte, le fragment jugé convenable à un processus scriptural d'assimilation, qui s'invente au moment même du choix et se poursuit par des remodélisations successives. Les « paroles redites » doivent avoir été absorbées, incorporées, ingérées, voire habilement transformées, de façon à ce qu'elles aient « comme autre son, autre sens » : nécessaire appropriation qui explique les altérations que Montaigne fait subir à ses citations, sa pratique — contraire à l'usage du temps — de l'emprunt sans nom d'auteur, sans manchette marginale. Détourné de son sens et de son contexte d'origine, « desguisé » et « difformé » à nouveau service, le déjà-dit, enregistré dans sa physiologie verbale, se présente comme un support dè nature à être librement utilisé par le scripteur dans sa volonté de description de « recitation » de son moi. Gain précieux pour lui, dont la visée est toute différente de celle des « escrivains indiscrets de *son* siecle, qui parmy leurs ouvrages de neant, vont semant des lieux entiers des anciens autheurs pour se faire honneur » (I, 26, 147, A). Montaigne, lui, veut « s'esgaller » à ses « larrecins » (I, 26, 147, C), qu'il désacralise, en

quelque sorte, en déclarant que la vérité des citations, des allégations profanes n'est garantie que
par le moi du penseur qui les essaie.

Conception favorable, a-t-on dit, à une pratique
ironique de l'emprunt. Avec raison, dans bien des
cas : tout au long du livre et pas seulement à propos
des citations, ce qu'écrit Montaigne est rarement
univoque. Si solide qu'ait pu être la culture antique
des lecteurs du XVIᵉ siècle, c'est, sans doute, avec un
certain sourire que Montaigne affirme que ses emprunts « sont tous, ou fort peu s'en faut, de noms
si fameus et antiens, qu'ils *luy* semblent se nomer
asses sans *luy* » (II, 10, 408, C). En fait, sous l'ano-
nymat, les plus fameus auteurs perdent — il le sait —
de leur prestigieuse autorité. Ce qui lui permet de
recourir souvent, sans préjudice pour sa liberté de
jugement, à la citation d'autorité, envers laquelle
il avait, au plan théorique, marqué sa méfiance. Dans
le discours citant de Montaigne, la citation d'autorité intervient surtout pour corroborer les opinions
de l'essayiste ou pour en favoriser la synthèse et pour
en prolonger l'écho, hors du temps, dans un « langage
peregrin » où l' « authorité peut » beaucoup « envers
les communs entandemans » (III, 13, 1114, C). Un
exemple. Aux dernières pages du chapitre « De
l'experience ». Montaigne vient de dire, dans le
texte de B, qu'il a accepté de bon cœur ce que
nature a fait pour lui et qu'on fait tort à ce grand et tout
puissant donneur de refuser son don. Il insère ici,
après 1588, un ajout en français « Tout bon, il a
faict tout bon », que complète une citation latine
*Omnia quae secundum naturam sunt, aestimatione
digna sunt*. L'emprunt — sans indication d'auteur —
au Cicéron philosophe du *De Finibus* (supposé reconnu ?) assume sa fonction de citation d'autorité ;
il reprend pour les cautionner des propos déjà tenus
par Montaigne ; mais, de plus, il assure une transition
bien marquée avec le passage suivant de la couche B :

« Des opinions de la philosophie, j'embrasse plus volontiers celles qui sont les plus solides... » Le cas n'est pas unique : même dans ses emplois canoniques, la citation — qu'elle soit d'autorité ou autre — joue souvent, chez Montaigne, plusieurs fonctions à la fois. Dans les emplois traditionnels, à côté des citations d'autorité, on distingue d'ordinaire des citations d'ornement et des citations d'amplification, les premières embellissant et variant la pensée, les secondes lui donnant de l'extension et l'approfondissant. Mais, dans le texte des *Essais*, la citation d'autorité peut, elle aussi, embellir et amplifier la pensée, tandis que la citation d'ornement, multipliant à l'occasion les niveaux possibles d'interprétation, ne manque pas, de son côté, d'enrichir et d'éclairer la pensée, de dire le plus réservé, le plus profond : ainsi, dans le chapitre « Sur des vers de Virgile ». Ou encore dans « De l'experience ». Montaigne, on le sait, laisse à Horace le soin de conclure les *Essais*, à sa place. Il vient de recommander sa vieillesse et de vouer son livre à « ce Dieu, protecteur de santé et de sagesse, mais gaye et sociale ». Ce dieu est Apollon, dont Montaigne, dans son texte français, mentionne quelques attributs, omettant toutefois l'un des plus connus : Apollon est le dieu de la musique et de la poésie. Essentielle pour Montaigne, cette fonction d'Apollon n'est pas absente de son esprit. Le montrent les vers — qu'il cite — de la dernière strophe de l'Ode I, 31 d'Horace. Pour accompagner la libation de vin de son offrande votive, Horace, dans cette ode, faisait une double prière au fils de Léto : que lui soit gardée, dans une vieillesse sans laideur, la santé du corps et de l'esprit et que lui soit maintenu le privilège de rester poète. C'est sur ce même souhait d'une vieillesse qui ne soit pas privée de cithare que s'achève les *Essais* : ultime confidence, faite avec pudeur, à travers une citation, par un homme qui n'avait jamais cessé de reconnaître, sa vie durant, l'exaltante et indispensable force de ce qu'on appelle la poésie. Ainsi les vers cités donnent ici, à eux seuls, sa pleine signification à ce dernier passage des *Essais*. En d'autres endroits, il arrive, en revanche, que nous ne puissions comprendre le texte de Montaigne qu'en replaçant la citation dans le contexte entier où elle a été prise. Comme l'écrit Mary McKinley : « The context from which he [Montaigne] borrows is often more relevant to his immediate text than the line or lines he actually incorporates. » Impossible, ainsi, d'entendre toute la résonance d'un passage célèbre de l' « Apologie » (p. 560) sans référence au contexte des *Métamorphoses* d'Ovide, X, 84, d'où est extraite la citation retenue par Montaigne. Celui-ci a évoqué le lent et louable processus d'élaboration des *Essais* :

« Ce que ma force ne peut descouvrir, je ne laisse pas de le sonder et essayer : et en retastant et pétrissant cette nouvelle matiere, la remuant et l'eschaufant, j'ouvre à celuy qui me suit, quelque facilité pour en jouir plus à son ayse, et la lui rends plus souple et plus maniable. »

Suit la citation :

> *ut hymettia sole*
> *Cera remollescit, tractatáque pollice, multas*
> *Vetitur in facies, ipsoque sit utilis usu.*

La citation reprend — on le voit — l'image du sculpteur suggérée par le texte de Montaigne, mais ce n'est que le contexte latin (présent peut-être dans l'esprit de ses contemporains) qui fournit le point de départ de la description métaphorique faite par Montaigne : l'histoire de Pygmalion (que Montaigne ne nomme pas) et de la statue d'ivoire devenue chair ardente sous ses doigts de sculpteur amoureux. Nous comprenons ainsi que l'écriture des *Essais* est assimilée par Montaigne au processus créateur de l'artiste en quête de vivante beauté et le livre, à la statue de

femme de beauté singuliere » (II, 8, 402, A) qu'avait
« bastye » le passionné Pygmalion.

De la citation, « opérateur trivial d'intertextualité » (A. Compagnon), Montaigne use donc à la
fois d'une manière traditionnelle et d'une manière très
personnelle. Dans les deux cas, les thèmes et les
images qu'offrent les citations sont fondus dans son
texte ou forment un contrepoint aux thèmes et aux
images de l'écrivain lui-même, qui « entasse » ses
emprunts, comme il « entasse *ses* resveries » (II, 10,
409, A) : pour les faire servir à son projet philosophique permanent. On a fort justement remarqué
que certains développements de la couche A lais-
saient attendre une citation qui n'apparaît que dans
les couches postérieures : comme si Montaigne avait
eu dans l'esprit la citation fondatrice du passage et
qu'il ne l'avait révélée que par la suite : ce qui ferait,
peut-être, des *Essais*, comme le suggère Terence Cave,
« the orchestration of a vast reading experience ».
Ce qui est certain, c'est que Montaigne « massonne »
son livre des « despouilles » des autres, mais qu'il « ne
dit les autres, sinon pour d'autant plus *se* dire »
(I, 26, 148, C), dans un discours autonome, régi par
ses propres lois, qui accueille et absorbe des éléments
étrangers, auxquels le *moi* de l'écrivain, se muant en
je, refuse tout prépondérant pouvoir dans l'acte
créateur. A plusieurs reprises, à travers tous les
Essais, Montaigne affirme — avec raison — l'originalité de sa pratique de la citation, en rupture avec
le modèle du discours médiéval révérant et vénérant
les *auctoritates*. Dans les *Essais*, les voix des autres ne
sont certes pas étouffées, mais au terme de l'échange
entre l'écrivain et ceux qu'il cite, « l'exemplarité
même de l'exemple étant mise en question » (K. Stierle),
ne se trouve plus vraiment cité, à travers les citations
d'autrui, que le « je », pensant et écrivant, seul garant
de ses fragiles et variables opinions sur les êtres,
sur les choses et sur lui-même. De l'étranger est

sorti le propre ; du dialogue multiple avec les morts est né l'unique questionnaire du vivant par lui-même, d'un vivant qui, pour proposer « ses fantasies informes et irresolues » (I, 56, 317, A) ne peut s'exprimer que dans une forme frappante d'écrire spécialement adaptée à sa singulière situation.

La rhétorique réprouvée, la rhétorique recherchée

Dans le monde de la critique littéraire, une évolution s'est faite, depuis peu. Alors que l'histoire littéraire française s'était constituée en dehors de la rhétorique, parfois contre elle que l'on oubliait volontiers, la rhétorique est devenue, de nos jours, l'objet d'études nombreuses et approfondies. Elle intéresse tout spécialement les « seiziémistes », conscients de « la fonction centrale et médiatrice » jouée par cette rhétorique dans la culture de la Renaissance. Et intrigués, aussi, par le cas que présente Montaigne dans ce domaine. Avec la rhétorique l'auteur des *Essais* entretient, en effet, des rapports complexes, ambigus : Montaigne connaît bien la rhétorique traditionnelle et la refuse ; cependant une rhétorique s'affirme à l'évidence dans l'activité même de son écriture.

Au départ, il faut placer, sans doute, le rejet par Montaigne de l'éloquence délibérative de son temps. Du *Dialogue des Orateurs* de Tacite (l'ouvrage — inspiré du *Traité du Sublime* du pseudo-Longin — était souvent attribué à Quintilien par les érudits du XVIe siècle) qu'il a lu soit dans le texte, soit par l'intermédiaire du livre de l'italien Francesco Patrizi, *Della rhetorica, dieci dialoghi*, Montaigne n'a retenu que les attaques contre l'art oratoire prononcées par le porte-parole de Tacite, Maternus. Ces attaques, il les transpose dans le chapitre « De la vanité des paroles » :

« (La rhétorique) c'est un util inventé pour manier et agiter une tourbe, et une commune desreiglée, et *est* util qui ne s'employe qu'aux estats malades, comme la medecine. En ceux où le *vulguere*, où les ignorans, où tous ont tout peu, comme celui d'Athenes, de Rhodes, et de Rome, et où les choses ont esté en perpetuelle tempeste, là ont *afflué* les orateurs... L'eloquence a fleury le plus *à Rome* lorsque les affaires ont esté en plus mauvais estat, et que l'orage des guerres civiles les *agitoit* : comme un champ libre et indompté, porte les herbes plus gaillardes » (I, 51, 305-306, A-C).

Témoin inquiet des dramatiques débats sociaux, politiques et religieux qui troublent son pays, Montaigne n'hésite pas à opposer les républiques florissantes (la Crétoise, la Lacédémonienne) dépourvues d'orateurs, et les républiques en crise mortelle, où ont foisonné les orateurs politiques : comme ce fut le cas à Athènes et à Rome. Dans un parallèle évident entre le « mauvais estat » de la Rome des guerres civiles et celui de la France plongée en pleine tragédie nationale, il dénonce l'éloquence politique corrompue qui — royale ou parlementaire — s'installe et sévit de plus en plus dans le royaume : pratique perverse et pernicieuse d'un art de la pure illusion, « piperesse et mensongere » renardise, sans référence aucune à la réalité des choses, sans le moindre respect pour cette « bonne foi », en dehors de laquelle, pourtant, il ne peut y avoir de relation sociale véritable.

Cette déplorable technique du leurre, Montaigne ne la voit pas seulement à l'œuvre dans la « parlerie » politique de ses contemporains : flatteuse et frauduleuse, elle affecte et infecte aussi tout le langage et « l'escrivaillerie ».

Pour les « prefaces et digressions inutiles » (III, 8, 926, B), pour les « deffinitions et divisions » (II, 17, 660, A), pour les cicéroniennes « longueries d'apprets » (II, 10, 413, A). Montaigne n'a que défiant dédain ; qu'hostilité manifeste pour les maîtres du « babil », ces λογόφιλοι qui ne se soucient que des mots, sans être le moins du monde des φιλόλογοι « curieux d'apprendre les choses » (I, 26, 173, A). Et de répéter à l'envi : « L'eloquence faict injure aus choses, qui nous destourne à soy » (I, 26, 172, C) ou « Fy de l'eloquence qui nous laisse envie de soy, non des choses » (I, 40, 252, A). Ce à quoi Montaigne s'attaque, ce n'est pas à la rhétorique dans sa volonté légitime de loyalement persuader, mais à l'éloquence quand elle est dévoyée, délibérément dévouée aux mots, détournée des choses où doit se nourrir l'*inventio*, bref quand elle est démunie de toute énergie éclairante.

Ici encore, Montaigne pratique le *distinguo*. A côté de la mauvaise rhétorique, celle de l'*amplificatio* qui n'a cure de la « verité nue et crüe » (III, 11, 1028, B) et qui « force le vivant dans des catégories fixes » (M. Jeanneret), il en conçoit une bonne, dont il a besoin. Se sentant « farouche à *son* aage et inassociable » (III, 9, 991, C), il s'est retiré, mais sans renoncer à communiquer. Il lui faut donc une rhétorique pour atteindre ce lecteur dont la présence est indispensable dans les *Essais*. Non pas pour le faire se ployer, mais pour l'impliquer, avec son assentiment volontaire, dans l'acte d'écriture où s'exprime le dire. Comment bien dire à ce lecteur un monde infini d'antithèse et d'inconstance ? Comment lui bien dire l'indicible mystère de l'amitié ? Comment, dans la transgression retenue des tabous, lui bien dire, « d'une parole entrouverte », la sexualité et l'importance de ce corps trop injustement méprisé ? Comment lui bien dire que l'impossibilité d'une quelconque connaissance n'interdit pas la poursuite de la quête ? Comment lui bien dire les « cogitations », les « gestes et l'essance » (II, 6, 379, C) d'un homme de « reservation et de doute » (II, 12, 552, A), qui va d'un « mouvement d'ivrouigne titubant, vertigineux, informe » (III, 9, 964, C) ? Au projet inouï de Montaigne doit correspondre un « nouveau langage », une parole neuve, non pas cette rhétorique habituelle du captieux artifice, de « l'ingenieuse contexture », mais une rhétorique moins visible, une rhétorique du vrai, du naturel, une rhétorique du « for intérieur » (M. Fumaroli), avec ses dérives, et ses reprises de contrôle après les dérives. Une rhétorique où l'*inventio* fera son miel de tout ce qu'aura butiné dans les livres de sa ruche ce lecteur infatigable, mais non pas infatué de tant d'exemples dont il discerne qu'ils n'apportent aucune vérité valable pour tous. Une rhétorique où la *dispositio*, pour rendre compte de la complexité discontinue du réel, présentera les « parolles et argumentations » (II, 10, 414, A) sous forme de « lopins » et à la manière mêlée des *Moralia* de Plutarque ou des « Miscellanea » d'Aulu-Gelle, d'Athénée et de Macrobe ; en les assortissant, aussi, d'une interrogation, d'un libre commentaire, qui font que, dans l'essai montaignien, se trouvent transformées et les pratiques de la transmission du savoir, et les pratiques oratoires elles-mêmes, libérées de tout formalisme rhétorique. Dans son écriture comme dans sa conversation (car pour lui, comme pour Castiglione, l'écriture « non è altro che una forma di parlare ») Montaigne ne veut pas que l'expression de ses paroles fasse tort à sa « conception », c'est-à-dire à son invention et à son jugement, à la fécondité naturelle de sa pensée. Là est le point central de la position de Montaigne face à la rhétorique. Il veut « bien dire », mais à « bien dire », il préfère bien penser, c'est-à-dire bien peser par lui-même, et conduire ainsi son lecteur à bien penser à son tour. Les figures de rhétorique (la personnification, l'apostrophe, l'interrogation oratoire, l'exclamation...) ne manquent pas dans les *Essais* : évidents appels au lecteur, qu'il faut amener à soi, en allant à lui, sans le tromper ; et non pas ruses cachées d'une pratique artistique purement « ostentatrice et parliere » (I, 39, 248, A). Montaigne connaît le pouvoir séducteur de la rhétorique : il en use lui-même, mais à visage découvert, sans masque, dévoilant ses intentions véritables (par exemple, dans les prosopopées ironiques) pour que le jeu soit loyal et que s'établisse en claire conscience la libre et profitable communication entre lui et ses lecteurs. Ces lecteurs, non « principians », mais « suffisants », il les invite, en quelque sorte, à réécrire, chacun à sa manière, les *Essais*, avec lui, « qui ne demande qu'à devenir plus sage, non plus sçavant *ou eloquant* » (II, 10, 414, A-C). Qui ne recherche, en tout cas, d'autre éloquence que celle qui procède de la « naïveté » et de la sincérité intérieures.

Le style

1. **Un idéal de style.** — Doit venir, aussi, du plus profond de l'être l'*elocutio*, le style, marque de la personnalité ajoutée à l'acte créateur proprement dit. On connaît la définition — tout à fait dans l'esprit d'Erasme s'en prenant aux « singes de Ciceron » — que Montaigne donne du style idéal, dans le chapitre « De l'institution des enfans » :

> « Le parler que j'ayme c'est un parler simple et naïf, tel sur le papier qu'à la bouche : Un parler succulent et nerveux, court et serré, *non tant delicat et peigné, come vehement et brusque*. Plustost difficile qu'ennuieux. Esloigné d'affectation ; Desreglé, descousu et hardy : Chaque lopin y face son corps : Non pedantesque, non fratesque, non pleideresque, mais plustost soldatesque, comme Suetone appelle celuy de Julius Caesar » (I, 26, 171-172, A-C).

Un style naturel, donc, sans artificielle affectation, semblable à ce « stile comique et privé » dont Montaigne dira, un peu plus loin (I, 40, 252, B) qu'il est le sien : style proche de celui que Quintilien rattache à l'*humile atque cotidianum sermonis genus*. Un style oral : celui de la conversation privée familière. Un style plein de suc et de sens, subtil et bref, tendant vers l'*acumen* comme celui de Sénèque, et qui, par là, s'apparente au style baroque. Un style coupé, proche de la poésie par son morcellement, se distinguant du modèle périodique de la prose par ses anacoluthes et ses ellipses, par son esthétique de l'hiatus. Un style soldatesque enfin, tel celui de César, style énergique qui donne « la premiere charge dans le plus fort du doubte » (II, 10, 414, A) et qui ne doive rien à l'ensommeillée et ensommeillante éloquence de « l'escole, du barreau et du sermon » *(ibid.)*. Au total, un style vif, vivant et viril, tout marqué de cette *sprezzatura* chère à Castiglione et de cette *negligentia diligens*, définie dans l'*Orator* de Cicéron et recommandée depuis l'Antiquité pour animer le *sermo humilis*. Et c'est précisément ce *sermo humilis*, qui peut atteindre au sublime, qu'a choisi, pour écrire les *Essais* en français, la noble élégance de Montaigne, dédaigneuse de l'élégance « vulguere » d'une éloquence abâtardie et désormais devenue pédante « parlerie ».

2. **Un style sincère.** — Dans les *Essais,* le style de Montaigne est d'abord un style sincère. Déjà, dans le texte de 1580, il avait blâmé les « fantastiques elevations Espagnoles et Petrarchistes » (II, 10, 412, A), dénoncé les épigones de Juan de Florès et les strambottistes. Dans le chapitre « Sur des vers de Virgile », il s'en prend à la « miserable affectation d'estrangeté » de « tant d'escrivains françois de ce siecle », que perd leur manque d'invention et de jugement (III, 5, 873, B). Dans le chapitre « De la Phisionomie », il déplore que ses contemporains n'aperçoivent « les graces que pointues, bouffies, et enflées d'artifice », ne s'enflant eux-mêmes « que de vent » et se maniant « à bonds comme les balons » (III, 12, 1037, B). Montaigne antimaniériste, alors ? Oui, si l'on retient que, chez lui, les termes d'*artifice* et d'*artificiel* ont presque toujours une connotation

péjorative. Oui, si l'on reconnaît que le projet de Montaigne, sa quête perpétuelle excluent dans l'exécution la fin et le fini, le résultat parfait, la *finitezza* totale auxquels vise l'œuvre maniériste. Oui, si l'on note que Montaigne — tout comme il refuse l'idéologie montée « sur ses grands chevaux » (III, 12, 1038, B) et l'esthétique ostentatoire du baroque — rejette les idéologies néo-platonicienne et néo-aristotélicienne (III, 5, 874, B), auxquelles font volontiers référence les maniéristes tardifs, dans leur opposition au « naturalisme » de la Renaissance. Mais non, si l'on accepte de découvrir « dans le maniérisme artistique un goût prononcé de l'expérimentation » (S. Dresden). Non, si l'on tient le discours maniériste pour un discours essentiellement sceptique, qui « doute de lui-même » (G. Mathieu-Castellani). Non, surtout, si l'on voit dans l'exigeante recherche de l'expressivité l'un des traits caractéristiques du style maniériste. Or, Montaigne veut mettre au service de sa pensée une « façon » aussi expressive que sincère. Comme le dit Géralde Nakam : « Dans sa création, en soulignant par son art le contrepoint de sa nature, il se caractérise par un maniérisme naturel. »

3. **Un style expressif.** — Dans le domaine du style domine, en effet, une impression de spontanéité, que renforcent paradoxalement les diverses figures auxquelles Montaigne a recours et qui, chez lui, sont souvent plus que des procédés stylistiques : des expressions naturelles de sa façon de voir, de sa manière d'être et de sentir. En fait, Montaigne qui reconnaît, dans le chapitre « De la praesumption », que son « langage n'a rien de facile et *poli,* (qu)'il est aspre et *desdeigneus* : Ayant ses dispositions libres et desreglées », que lui-même « à force de vouloir eviter l'art et l'affectation... y retombe d'une autre part » (II, 17, 638, A-C), a su, par un travail de tous

les instants, faire de son style une vie autant qu'une écriture : ce qui confère à ce style sa qualité et son caractère spécifiques, sa manière propre.

A son style, Montaigne veut d'abord donner la force. Y contribue l'accumulation : groupements de termes plus ou moins synonymes, souvent allitérants, tel : « vierge de sang et de sac » (III, 9, 966, B) ; ou bien encore énumérations plus largement développées, comme dans l'insistant rappel du « commandement paradoxe » de Delphes :

> « Regardez dans vous, reconnoissez vous, tenez vous à vous : vostre esprit, et vostre volonté qui se consomme ailleurs, ramenez la en soy : vous vous escoulez, vous vous respandez : appilez vous, soutenez vous : on vous trahit, on vous dissipe, on vous desrobe à vous » (III, 9, 1001, B).

Y sert aussi, la répétition, cette forme particulière de l'énumération. Pour insister, Montaigne aime — surtout dans les ajouts postérieurs à 1588 — reprendre dans une même phrase des mots identiques ou des termes appartenant à la même famille étymologique : « Combien ai je veu de condemnations plus crimineuses que le crime » (III, 13, 1071, C). En donnant ainsi de la force à son style, Montaigne cherche manifestement à « arrester l'attention du lecteur » (III, 9, 995, B), à inviter ce lecteur à réfléchir sur les mots, à mesurer et — si possible — à corriger, avec lui, l'écart qui sépare le signifié du signifiant. Comme l'écrit Fausta Garavini « l'accumularsi dei sinonimi è un modo di suggerire alternative ; e l'approfondimento etimologico è stimolo al dubbio, mezzo d'indagine forma di conoscenza ». Ces groupements de mots se présentent souvent dans un rapport de symétrie antithétique, que souligne volontiers le procédé — cher à Montaigne — de l'*annominatio* ou paronomase. « Et en ai eu de pareillement foibles en raison et *violantes en persuasion : ou en dissuasion...* » (I, 11, 44, C) ; correction heureuse d'un jet antérieur de l'ajout : *violantes en incitation*. Avec « l'hyperbole » (III, 11, 1028, C) et plus encore que l'hyperbate, si fréquente, avec ses effets de surprise, dans le troisième livre, l'antithèse est, en effet, la forme la plus naturelle d'expression chez Montaigne. L'antithèse ne lui permet pas seulement de donner libre cours à son plaisir de jouer avec la substance sonore des mots : « Ny les choses qui nous oignent, au pris de celles qui nous poignent » (III, 10, 1022, B). Elle traduit sa volonté de ne pas être dupe du langage. Elle est, aussi, révélatrice d'une pensée « qui s'organise presque toujours selon une dialectique des contraires » (J. Larmat), parce qu'elle est consciente que, dans la richesse et la déroutante diversité du réel, toute « certitude est incertaine » et que, dans le monde, se trouve tout et le contraire de tout. Comme dans l'homme, d'ailleurs, qui ne peut rendre clairement et complètement compte de son comportement, qu'en multipliant les « correctrices et non corruptrices » antithèses. Ainsi, pour Montaigne, à propos de ses engagements dans les affaires d'autrui :

« Si quelquefois on m'a poussé au maniement d'affaires estrangieres, j'ay promis de les prendre en main, non pas au poulmon et au foye : de m'en charger, non de les incorporer : de m'en soigner ouy, de m'en passionner, nullement : j'y regarde, mais je ne les couve point » (III, 10, 1004, B).

Autre forme de force expressive, sensible déjà dans la citation précédente, la « vigueur et hardiesse poetique » (III, 9, 995, B), que Montaigne admirait tant dans la meilleure prose ancienne et que les images, par leur caractère concret, visuel, donnent à la sienne, lui prêtant de l'épaisseur, lui permettant d'échapper ainsi à la pâle froideur abstraite de tant de textes de la littérature morale contemporaine. De fait, les images (comparaisons et, plus encore, métaphores) abondent dans les *Essais*. Les comparaisons sont, comme les antithèses, souvent rehaussées par l'*annominatio* :

« Come un'herbe transplantée en solage fort divers à sa condition se conforme bien plus tost à iceluy qu'elle ne le reforme à soy » (III, 9, 992, C).

D'ordinaire, elles enrichissent *a posteriori* la démonstration. Avec, parfois, quelque subtilité supplémentaire. Témoin, celle que nous lisons dans le chapitre « De l'institution des enfans » et que nous fournit un ajout travaillé et retravaillé de la couche C :

« Je n'ai dressé commerce aveq aucun livre solide sinon Plutarque et Seneque, où je puise come les Danaides, remplissant et versant sans cesse » (p. 146).

Se trouve ici, ingénieusement comparée au labeur de ces Danaïdes qui essayaient éternellement de remplir d'eau un vase percé, l'activité jamais finie de l'essayiste, aux prises avec ses interrogations sans réponse, avec ses retouches toujours à revoir. Comme les comparaisons, les métaphores — volontiers physiologiques — traduisent le monde intérieur de l'écrivain-poète : ce que prouve bien le fait qu'à mesure que la représentation du moi investit les *Essais*, les images — surtout les métaphores, que Montaigne aime à grouper — deviennent plus fréquentes, plus dynamiques, aidant à la progression de la pensée. Métaphores de mouvement, souvent empruntées aux registres les plus habituels de la vie quotidienne, elles reflètent la souple et libre mobilité de son esprit, qui sait que « nos opinions s'antent les unes sur les autres... » et que « nous eschelons ainsi de degré en degré » (III, 13, 1069, C), et la bondissante allure de son imagination toujours ouverte au large champ du possible : « Il y a des autheurs desquels la fin c'est dire les evenemants. La miene, si j'y sçavois avenir serait dire sur ce qui peut avenir » (I, 21, 105-106, C).

4. **Un style enjoué.** — Parmi les comparaisons de Montaigne, il en est d'amusantes. Ainsi : « Il se

verra enrichi des moyens de ses disciples, come les regens du Landy » (II, 12, 586, C) ou « Mon ame se demesle bien ayséement à part, mais en presence, elle souffre, comme celle d'un vigneron » (III, 9, 954, B). C'est que, dans son style sincère et expressif, entre toute une part de jeu, d'enjouement. A base de dérision, d'ironie. D'une ironie plus marquée dans le troisième livre, mais déjà présente dans les deux premiers : « Tout cela ne va pas trop mal : mais quoy, ils ne portent point de haut de chausses » (I, 31, 214, A). Ou d'humour, comme dans bon nombre de dialogues ou dans ces paroles prêtées à de curieux condamnés à mort :

> « Un qu'on menoit au gibet, disoit que ce ne fut pas par telle ruë, car il y avoit danger qu'un marchand luy fist mettre la main sur le collet, à cause d'un vieux debte. Un autre disoit au bourreau qu'il ne le touchast pas à la gorge, de peur de le faire tressaillir de rire, tant il estoit chatouilleux » (I, 14, 52, A).

Ailleurs, Montaigne se plaît à pasticher tel ou tel style, notamment le style judiciaire qu'il connaissait fort bien. Ainsi, dans le plaidoyer bouffon pour « monsieur *sa* partye » :

> « Plaise à considérer, qu'en ce faict sa cause estant inseparablement conjoincte à un consort et indistinctement, on ne s'adresse pourtant qu'à luy... » (I, 21, 103, C).

Ou dans les « Item » du chapitre « Des noms » (I, 46, A). En un autre endroit, le sourire du lecteur naît de la place malicieusement donnée à un mot dans une série. Les maladies, note Montaigne, ont des suites fâcheuses et longues ; on est à peine remis de l'une qu'une autre survient :

> « Avant qu'a vous aye rendu l'usage de l'air, et du vin, et de *vostre femme*, et des melons, c'est grand cas si vous n'estes rescheu en quelque nouvelle misere » (III, 13, 1093, B).

Vigoureux, poétiquement réaliste, plaisant, primesautier, le *novum genus dicendi* de Montaigne

— où s'opère « la réconciliation entre Cicéron et Sénèque, entre Muret et Juste Lipse » (M. Magnien) — traduit au mieux les intentions de l'auteur désireux d'offrir au lecteur, en dépit du drame de l'incontournable incertitude, un portrait expressif et fidèle de lui, de tout son être, corps et esprit, de sa nature excessive parfois, mais toujours ouverte au dialogue bien conduit et à ces « essays » (III, 7, 918, B) que les hommes devraient avoir à honneur de faire les uns contre les autres. Cette nouvelle façon d'être écrivain lui permet de représenter « le progrez de ses humeurs » (I, 37, 758, A), de suivre sa pensée dans son cours et dans sa profondeur, de la fixer avec les mots et expressions les plus justes possible, dans des phrases-coupures, à la structure très mobile. Par son écriture de l'intériorité, unissant prose et poésie, Montaigne sait éviter l'artifice, pour trouver « l'art de transcender l'art en naturel et en grâce » (M. Fumaroli). Naturel et grâce qui lui sont propres. Dans la rhapsodie qu'il a composée, tout est sien : et le dessein et la matière (y compris ces emprunts auxquels il sait donner « quelque particuliere adresse de *sa* main » (III, 12, 1056, C) et la manière dont sa main coud le tout, pratiquement sans couture, et trace sans tricher les traits de son attachante peinture.

POUR FINIR, SANS TERMINER
ET SANS CONCLURE

Après quatre siècles, le nombre des « estimateurs » de l'œuvre de Montaigne ne cesse de croître, Qui peuvent lire les *Essais* dans les différents états du texte lui-même ou dans l'adaptation en français moderne d'André Lanly, mais aussi — sans oublier les traductions partielles en danois, en espagnol, en grec — dans des versions complètes en anglais (D. Frame), en italien (F. Garavini), en japonais (H. Sékiné, S. Araki). S'appliquant à découvrir les trésors imprévisibles de chaque page de ce livre unique en son genre. Comme tant d'autres s'y étaient appliqués avant eux.

Les lecteurs de 1580, se méprenant, sans doute, sur les intentions de Montaigne, qui avait voulu leur proposer l'état — non le résultat — de ses longues et lentes « investigations », avaient surtout admiré dans les deux premiers livres des sentences, des enseignements moraux, de stimulants et tendus *Sursum corda* qui, en style sénéquien, sonnaient stoïcien. Au total, l'érudition d'un ouvrage où — merveille — se revivifiaient plusieurs formes littéraires de l'époque et une sagesse, empruntée peut-être, mais bien utile en des temps découragés. Avec les *Essais* augmentés de 1588, avec le fluide allongeail du troisième livre, le véritable dessein de Montaigne devenait plus évident, à la surprise quasi générale des lecteurs qui s'attendaient à retrouver le « magnanime stoïque » des deux premiers livres. Ce qui lui importait, c'était de dire ce que, lui, tenait subjectivement pour vrai, face au monstrueux amoncellement des opinions non vérifiées. La sagesse dont il parlait, c'était la science de la vie, véritablement vécue par lui, selon « les loix de la Nature ». Et — l'on s'en apercevait mieux — pour s'adresser à son lecteur-auditeur (qu'il comparait aussi à un partenaire du jeu de paume) il avait choisi une forme de tête-à-tête animé, de libre joute, dans laquelle « la parole est moitié à celuy qui parle, moitié à celuy qui l'escoute »

(III, 13, 1088, B). Avec une manière d'écrire bien à lui, soucieuse de réduire, autant que possible, l'ambiguïté des signes, désireuse de charger le discours de toutes les valeurs intellectuelles, affectives, esthétiques, voire ludiques, dont il était capable.

Dès lors, deux types de réception se dégagèrent : l'une qui s'intéressait au contenu moral, militaire, politique, philosophique, religieux du livre ; l'autre, plus attentive à la spécificité de l'essai montaignien, à l'originalité de son langage si dense. Ces deux tendances, idéologique ou esthétique, que Jules Brody a mises en relief pour le XVIIe siècle, se sont perpétuées sous des formes plus ou moins variées dans les époques postérieures. Sur les fortunes de Montaigne en France et à l'étranger, il suffit de renvoyer ici aux synthèses de V. Bouillier, P. Villey, A. Boase, D. Frame, Ch. Dedéyan, M. Dréano, P. Michel. Non seulement la confrontation Montaigne-Pascal n'a cessé de se poursuivre après la mort de Pascal (1662), après la mise à l'Index des *Essais* en 1676, mais les appréciations les plus contradictoires ont été portées sur « l'alleure poetique » des *Essais*, sur la manière d'écrire de leur auteur. Preuves de permanent intérêt.

Notre époque qui, en France, a donné le nom de Montaigne à l'un de ses trains rapides, a, elle aussi, « son » Montaigne et « ses » *Essais*, qu'elle regarde « à plusieurs biais », naturellement. Si entichée qu'elle soit du texte, elle ne dédaigne pas tout à fait l'homme, qui constitue le livre. Cet homme, elle continue à le rechercher dans l'autoportrait des *Essais* (qu'elle ne trouve pas toujours sincère), dans les indications autobiographiques que fournissent le *Journal de voyage*, la maigre correspondance conservée (une petite quarantaine de lettres), les remarques consignées dans les *Ephémerides* de Beuther. Mais elle veut, aussi, le connaître par d'autres et divers moyens. En interrogeant les spécialistes de la morphopsychologie sur les trois portraits qui nous ont été conservés et qui passent pour authentiques, notamment celui du Musée Condé à Chantilly. En recourant aux expertises des graphologues qui se penchent sur l'écriture sobre et serrée des marges de l' « Exemplaire de Bordeaux », sur celle, plus large, plus montante, des lettres à Matignon. En tenant compte des apports de la psychanalyse, de la psychologie des profondeurs. Ainsi, tend-on, actuellement, à dépouiller Montaigne d'une bonne part de sa sagesse aimable, sereine, heureuse. Devant son portrait, Jean Paulhan évoque Sade ou Gilles de Rais : d'inquiet, Montaigne devient inquiétant. On nous le montre dépressif, affligé de symptômes nerveux, narcissique, souffrant de se croire insuffisamment aimé de ces autres, auxquels — c'est là sa « relation à autruy » — il fait souvent référence et dont il a besoin pour pouvoir pleinement s'aimer lui-même. On fait de lui un être difficile, sarcastique, révolté intérieurement, porté par des penchants sado-masochistes, vivant dans la peur de la folie, cette folie sans laquelle, selon Géralde Nakam, les *Essais* n'existeraient peut-être pas. « La merci Dieu », les *Essais* existent. De l'expérience de vie intégralement vécue qui s'y lit, de cette éthique élevée de l'immanence, peut profiter qui veut, parmi nous. Et, chez Montaigne, intéressent assurément chacun d'entre nous, outre ses courageuses dénonciations de toutes les cruautés, de toutes les impostures, son pyrrhonisme épistémologique — si positivement attentif à tout l'homme qu'il ne rejette pas les manifestations de l'irrationnel (monstres et prodiges) comme indignes du champ de ses investigations —, la démarche circulaire et réflexive de sa quête de l'authenticité, de son enquête sur les leurres des « opinions communes », sa remise en question d'un langage par nature incapable de définir vraiment, tout ce problème de l'interprétation qui est au centre même de l'élaboration des *Essais,* dans les lectures que fait Montaigne des livres et des lois, dans les commentaires critiques auxquels il soumet son séminal discours, un discours ouvert « au branle et à la contestation » (II, 17, 655, A), mais ancré, aussi, dans les plus solides convictions.

Tout autant nous retient l'art avec lequel, dans son rhapsodique déchiffrement de lui-même, avec cette écriture « périphérique » du présent et de la présence, charnue et féconde, Montaigne se découvre à chaque lecteur, pris dans sa singularité, qui lui est semblance vive et non vaine de l'*alter ego* La Boétie. Inscrit dans une sorte de présent perpétuel, « jointure et assemblage du futur et du passé » (II, 12, 602, A), l'autoportrait (comparé parfois aux portraits de Rembrandt ou aux toiles du Tintoret ou de Rubens) se fait par touches successives, qui s'engendrent dynamiquement, avec mille contrepoints, dans une parfaite harmonisation du surgissement et de la stabilisation : exercice de libre création qui permet au sujet de se saisir, à chaque instant, comme conscience active, dans la trajectoire non tracée d'avance d'une recherche à jamais sans fin. Et, pour notre plaisir et pour notre profit, de s'offrir à nous toujours vivant dans sa pure et complète humanité. Sans fard et sans formalisme. Sans optimisme non plus, mais dans un refus résolu du pessimisme : la livre s'ouvre sur une attente de mort, mais il se ferme sur un salubre souhait de vie vouée à la poésie, harmonieusement vécue.

Aux *Essais*, en d'autres temps, d'autres trouveront d'autres profitables plaisirs. C'est à chacun, en effet, de lire Montaigne, à sa manière. Pourvu qu'elle soit de bonne volonté, d'ouverture accueillante, en dehors de toute idée préconçue, de tout impérieux dogmatisme. Pourvu aussi qu'y soient toujours associés le cœur et l'esprit, y compris dans les analyses les plus techniques, qui aident si utilement à la compréhension d'une œuvre difficile. Car tout ce qui s'exprime dans le livre n'a d'autre lieu de vérité que la communion intellectuelle et morale entre Montaigne et son lecteur. En dehors de cette totale « communication », le risque est grand de déraison, de délire, de sèche et stérile sophistication. Qui n'ont rien de « sortable » à l'esprit du sensible et sensé Montaigne. Puissent tous ses lecteurs lui être, dans leur entière liberté de jugement, les « feaux amis » que lui méritent ses loyaux *Essais* !

BIBLIOGRAPHIE

Ne sont cités ici, à l'exclusion de tout article, que des ouvrages ou d'importantes livraisons de revues, le plus souvent de publication récente.

Araki Shôtarô, *Montaigne* (en japonais), Kodansha, 1985 ; *Montaigne, loin et près de nous* (en japonais), Taishukan-Shoten, 1987.

Aulotte Robert, *Montaigne, Apologie de Raimond Sebond*, Paris, SEDES, 1979.

Baraz Michaël, *L'être et la connaissance selon Montaigne*, Paris, Corti, 1968.

Bellenger Yvonne, *Montaigne. Une fête pour l'esprit*, Paris, Balland, 1987.

Boase Alan Martin, *The fortunes of Montaigne. A history of the « Essays » in France, 1580-1669*, Londres, Methuen, 1935.

Bonnet Pierre, *Bibliographie méthodique et analytique des ouvrages et documents relatifs à Montaigne*, Genève, Slatkine, 1983.

Bowen Barbara, *The Age of Bluff : paradox and ambiguity in Rabelais and Montaigne*, Urbana, 1972.

Brody Jules, *Lectures de Montaigne*, Lexington, Kentucky, French Forum Publishers, 1982.

Butor Michel, *Essais sur les « Essais »*, Paris, Gallimard, 1968.

Cave Terence, *The Cornucopian Text. Problems of Writing in the French Renaissance*, Oxford, Clarendon Press, 1979.

Céard Jean, *La nature et les prodiges*, Genève, Droz, 1977 : « Nouveauté de Montaigne », p. 387-434.

Christodoulou Kyriaki, *Considérations sur les « Essais » de Montaigne*, Athènes, 1984.

Clark Carol, *The Web of Metaphor : Studies in the imagery of Montaigne's « Essais »*, Lexington, Kentucky, French Forum Publishers, 1978.

Coleman Dorothy Gabe, *Montaigne's « Essais »*, Londres, Allen & Unwin, 1987.

Compagnon Antoine, *La Seconde Main, ou le travail de la citation*, Paris, Le Seuil, 1979 ; *Nous, Michel de Montaigne*, Paris, Le Seuil, 1980.

Comparot Andrée, *Amour et Vérité. Sebon, Vivès et Michel de Montaigne*, Paris, Klincksieck, 1983.

Conche Marcel, *Montaigne et la philosophie*, Editions de Mégare, 1987.

Croquette Bernard, *Etude du Livre III des « Essais » de Montaigne*, Paris, Champion, 1985.

Dedéyan Charles, *Montaigne chez ses amis anglo-saxons...*, Paris, Boivin, 1946.

Demonet Marie-Luce, *Michel de Montaigne, Les « Essais »*, Paris, PUF, « Etudes Littéraires », 1985.

Dreano Maturin, *La Pensée religieuse de Montaigne*, Paris, Beauchesne, 1936 ; *La renommée de Montaigne en France au XVIIIᵉ siècle, 1677-1802*, Angers, 1952.

Ehrlich Hélène Hedy, *Montaigne. La critique et le langage*, Paris, Klincksieck, 1972.

Frame Donald, *Montaigne in France, 1812-1852*, New York, Columbia Univ. Press, 1940 ; *Montaigne : A Biography*, New York, Harcourt, 1965.

Friedrich Hugo, *Montaigne,* trad. Rovini, Paris, Gallimard, 1968.

Garavini Faustá, *Itinerari a Montaigne,* Florence, Sansoni, 1983.

Gierczynski Zbigniew, *Le « Que sais-je » de Montaigne. Interprétation de l' « Apologie de Raimond Sebond »*, Lublin, *Roczniki Humanistyczne*, XVIII, 1970.

Glauser Alfred, *Montaigne paradoxal*, Paris, Nizet, 1972.

Gray Floyd, *Le style de Montaigne*, Paris, Nizet, 1958 ; *La Balance de Montaigne : Exagium/« Essai »*, ibid., 1982.

Gutwirth Marcel, *Michel de Montaigne, ou le pari d'exemplarité*, Montréal, Presses de l'Université, 1977.

Heller Lane et Atance Felix (éd.), *Montaigne. Regards sur les « Essais »*, Wilfrid Laurier UP, Waterloo, Canada, 1986.

Janssen Herman, *Montaigne fidéiste*, Utrecht, Van Leeuwen, 1930.

Joukovsky Françoise, *Montaigne et le problème du temps*, Paris, Nizet, 1972.

Kritzman Lawrence D., *Destruction/découverte. Le fonctionnement de la rhétorique dans les « Essais » de Montaigne*, Lexington, Kentucky, French Forum Publishers, 1980.

Kupisz Kazimierz, *Elles et Lui. Problématique féminine des « Essais »*, Lodz, *Folia Litteraria*, XII, 1985.

La Charité Raymond, *The concept of Judgement in Montaigne*, La Haye, Nishoff, 1968.

Leake Roy E., *Concordance des « Essais » de Montaigne*, Genève, Droz, 1981.

Lestringant Frank (éd.), Rhétorique de Montaigne, *Bulletin de la Société des Amis de Montaigne*, 1985 (préface de Marc Fumaroli ; conclusions de Claude Blum).

McFarlane I. D. et Maclean I (éd.), *Montaigne. « Essays » in Memory of Richard Sayce*, Oxford, Clarendon Press, 1982.

McGowan Margaret, *Montaigne's Deceits,* Philadelphie, Temple Univ. Press., 1974.

Mc Kinley, Mary B., *Words in a corner : Studies in Montaigne's Latin quotations*, Lexington, Kentucky, French Forum Publishers, 1981.

Marcu Eva, *Répertoire des idées de Montaigne*, THR, LXXV, Genève, Droz, 1965.

Mathieu-Castellani Gisèle, *Montaigne. L'écriture de l'essai,* Paris, PUF, « Ecrivains », 1988.

Metschies Michael, *Zitat und Zitierskunst in Montaigne's « Essais »*, Genève, Droz, 1966.

Micha Alexandre, *Le singulier Montaigne*, Paris, Nizet, 1964.

Michel Pierre, *Montaigne*, Bordeaux, Ducros, 1970.

Moreau Pierre, *Montaigne*, Paris, Hatier, 1966.

Nakam Géralde, *Montaigne et son temps. Les événements et les « Essais », l'Histoire, la vie, le livre,* Paris, Nizet, 1982 ; *Les « Essais » de Montaigne, miroir et procès de leur temps. Témoignage historique et création littéraire*, Paris, Nizet, 1984.

Pizzorusso Arnaldo, *De Montaigne à Baudelaire. Prospettive e commenti*, Rome, Bulzoni, 1971.

Pouilloux Jean-Yves, *Lire les « Essais » de Montaigne*, Paris, Maspéro, 1969.

Regosin R. L., *The matter of my Book : Montaigne's « Essai » as the Book of the Self*, Berkeley, Univ. of California Press, 1977.

Rigolot François, *Le texte de Renaissance. Des Rhétoriqueurs à Montaigne*, Genève, Droz, 1982, p. 221-252.

Samaras Zoé, *The Comic Element of Montaigne's Style*, Paris, Nizet, 1970.

Sayce Richard, *The « Essays » of Montaigne : A Critical Exploration*, Londres, Weindenfeld & Nicholson, 1972.

Screech Michael, *Montaigne and Melancholy. The Wisdom of the « Essays »*, Londres, Duckworth, 1983.

Starobinski Jean, *Montaigne en mouvement,* Paris, Gallimard, NRF, 1982.

Tetel Marcel, *Montaigne*, New York, Twayne Publ. Inc., 1974.

Thibaudet Albert, *Montaigne*, Paris, Gallimard, NRF, 1963.

Tournon André, *Montaigne. La glose et l'essai*, Presses Univ. de Lyon, 1983.

Trinquet Roger, *La jeunesse de Montaigne*, Paris, Nizet, 1972.

Villey Pierre, *Les sources et l'évolution des « Essais » de Montaigne*, Paris, Hachette, 1908.

TABLE DES MATIÈRES

Imprimé en France
Imprimerie des Presses Universitaires de France
73, avenue Ronsard, 41100 Vendôme
Septembre 1988 — N° 33 927